A Arte Cavalheiresca
do Arqueiro Zen

Eugen Herrigel

A Arte Cavalheiresca do Arqueiro Zen

Prefácio:
MONJA COEN

Introdução:
PROF. D. T. SUZUKI

Tradução, prefácio e notas:
J. C. ISMAEL

Editora Pensamento
SÃO PAULO

Título do original: *Zen in der Kunst des Bogenschiessens*.
Copyright © 1975 Editora Otto Wilhelm Barth.
Copyright da edição brasileira © 1984 Editora Pensamento-Cultrix Ltda.
1ª edição 1984.
34ª reimpressão 2024.

Todos os direitos reservados. Nenhuma parte desta obra pode ser reproduzida ou usada de qualquer forma ou por qualquer meio, eletrônico ou mecânico, inclusive fotocópias, gravações ou sistema de armazenamento em banco de dados, sem permissão por escrito, exceto nos casos de trechos curtos citados em resenhas críticas ou artigos de revistas.

A Editora Pensamento não se responsabiliza por eventuais mudanças ocorridas nos endereços convencionais ou eletrônicos citados neste livro.

Revisão: Nilza Agua
Diagramação: Fama Editoração Eletrônica

Dados Internacionais de Catalogação na Publicação (CIP)
(Câmara Brasileira do Livro, SP, Brasil)

Herrigel, Eugen, 1884-1955.
  A arte cavalheiresca do arqueiro Zen / Eugen Herrigel ; prefácio Monja Coen ; introdução de D. T. Suzuki ; tradução, prefácio e notas J. C. Ismael. — São Paulo : Pensamento, 2011.

  Título original: Zen in der Kunst des Bogenschiessens.
  25ª reimpr. da 1. ed. de 1984.
  ISBN 978-85-315-1765-5

  1. Arqueiros — Japão — Aspectos psicológicos 2. Espiritualidade 3. Zen-budismo I. Coen, Monja. II. Suzuki, D. T. III. Ismael, J. C. IV. Título.

11-11630   CDD-294.3927

Índices para catálogo sistemático:
1. Zen-budismo : Religião 294.3927

Direitos de tradução para a língua portuguesa
adquiridos com exclusividade pela
EDITORA PENSAMENTO-CULTRIX LTDA.
Rua Dr. Mário Vicente, 368 — 04270-000 — São Paulo, SP
Fone: (11) 2066-9000
E-mail: atendimento@editorapensamento.com.br
http://www.editorapensamento.com.br
que se reserva a propriedade literária desta tradução.
Foi feito o depósito legal.

Prefácio

de Monja Coen

> *Um arqueiro pode atingir o alvo a uma centena de passos, mas quando duas flechas se encontram em pleno ar, ponta com ponta, será somente a técnica a responsável?*
>
> (Mestre Zen Tozan Ryokai, China, 807-869)

Além da técnica, além do eu, atravessando o portal sem portas do Zen, absolutamente presente no instante místico da simplicidade. Anos e anos de prática incessante são subitamente manifestos, sem esforço algum.

Algo acontece. Como deixar algo acontecer? Sem apego e sem aversão. Apenas permitindo que se manifeste.

Eugen Herrigel nos abre o tesouro do Darma, aponta a flecha e a deixa cair no do Caminho da Iluminação.

Seu mestre japonês, sem se aprofundar em tratados filosóficos ocidentais ou mesmo orientais, sabe a tensão adequada e o preciso estado mental capazes de guiar nosso amigo Herrigel pela árdua e suave senda do não eu.

O processo de aprendizado do arqueiro é o mesmo processo do mestre em tornar o aprendiz um verdadeiro arqueiro. E isso só acontece quando arco, flecha, arqueiro e alvo não são mais do que um.
Todo esforço para alcançar a meta, mais a distância.
É preciso um esforço sem esforço.
Mestre Eihei Dogen (1200-1253), fundador da tradição Soto Zen Shu no Japão, em suas recomendações para a prática da meditação (Fukan Zazen gi), ensinava:

Há o pensar, o não pensar,
e além do pensar e não pensar.

Além das dualidades, no uno absoluto. Onde relativo e absoluto se integram. Perguntas e respostas caminham juntas. Mestre e discípulo se completam, se fazem mestre e discípulo. E o discípulo é o mestre do mestre, pois o ensina a ensinar. O mestre é o discípulo do discípulo, pois aprende a compreender e orientar. Mestre é mestre. Silêncio e precisão absolutos. Discípulo é discípulo. Dúvidas e questionamentos. Finalmente fundidos. Aonde quer que o discípulo vá, o mestre estará junto. Gratidão incomensurável. Um tanto do discípulo também fica impregnado no Mestre, que se transforma e se adapta a cada circunstância.

Obra importante a de Eugen Herrigel para todos que procuram pela experiência mística. É a própria experiência, seus vários degraus, etapas, sendo transpostos e reconhecidos pelos que já a tiveram. Inspirando os que anseiam por alcançá-la.

Duas flechas se encontrando em pleno ar, ponta com ponta.

Por mais que se treine, com objetivo de ganho, a essência não será obtida.

Mas o treino é a prática da entrega e da confiança, fazendo com que a essência se manifeste na simplicidade da perfeição.

Cinco anos levou nosso amigo autor e companheiro de jornada. Questionava, duvidava, mas não desistia e se entregava.

Já no primeiro dia, quando chegou ao Dojo, local da prática do Caminho, local da iluminação, Eugen Herrigel ouviu o som da corda do arco. Isso é importante. Ele era todo ouvidos.

Todo seu ser ouviu o som que o mestre tirou da corda do arco. Um toque simples e suave.

Um som mavioso, extraordinário.

Havia silêncio na sala. Havia silêncio na mente do mestre.

Havia silêncio na mente do aprendiz. Sem esse silêncio, como ouvir?

Ele pode ver o som. Tornar-se o som, que penetrou seu coração.

Nesse momento já era a manifestação da iluminação e do Caminho. Mas não sabia.

Então iniciou o percurso, hesitando, duvidando, treinando, tentando abreviar o processo, mas nada passava despercebido ao Mestre.

Praticava até no imaginário – corpo, músculos, tensão – a flecha e o arco.

Intimidade. Tornar-se íntimo com o que tocava, com o que se propunha a fazer. Tornar-se uno, uma indivisível proximidade.

Intimamente inicia o relacionamento perfeito com seu próprio respirar. Assim como fazemos em Zazen – a arte prática de sentar-se em Zen (meditação não é bem a palavra adequada, pois requer um objeto e no Zen sujeito e objeto são o mesmo).

Inspirar suavemente, expirar lentamente.

Cada ação, cada instante, o fio terra da respiração consciente.

Momentos de pausa.

Isso é o Zen.

Obra-prima, joia sagrada do Darma de Buda.

Quantas pessoas iniciaram sua prática Zen-budista por causa deste livro?

Por ter alcançado certo grau de conhecimento superior, por ser considerado mestre por seu mestre, tendo atingido o alvo não alvo do eu não eu, Eugen Herrigel é capaz de curvar o arco e apontar o caminho. A sua flecha apenas cai suavemente no alvo de nosso coração-mente Buda.

Se você não vê o Caminho
Não o vê mesmo ao andar nele.
Quando você caminha não é perto nem longe
Se estiver desiludido estará a rios e montanhas de distância
Respeitosamente digo àqueles que querem ser iluminados
Noite e dia, não percam tempo.

(Mestre Zen Sekito Kisen, China, 700-790)

Mãos em prece
– Monja Coen

Prefácio
de J.C.I.

Só encontrará a sua vida aquele que a perdeu
(Provérbio zen)

Mestre, discípulo, arco, flecha, alvo: essas são as personagens que esperam pelo leitor nas páginas que se seguem. Mas tal encontro exigirá, por parte do leitor, algumas abdicações. A lógica do pensamento ocidental deve ser posta de lado. A estrutura do cartesianismo, reduzida a cinzas. A relação causa-efeito, desprezada. A separação sujeito-objeto, ignorada. O tédio, ridicularizado. Mas a paixão pela vida, enaltecida. A cerimônia desse encontro é presidida pelo príncipe Sidarta, que perdeu a vida para despertar como Buda, o Amida, o símbolo da compaixão, aquele que nos mostrou o *caminho do meio* como o único capaz de vencer os sofrimentos que marcam a banalidade do cotidiano.

Este livro trata do Zen como os mestres gostam de abordá-lo: uma experiência direta, imediata, não filtrada pelo intelecto. O autor, ocidental típico, cai na tentação de questionar, de pôr em evidência sua perplexidade diante das lições do mestre. Muitos anos se passam até que ele *perca* a sua vida e descubra o que é o Zen: transcendência do intelecto, desprezo pelas palavras, silêncio, gestos iluminantes e iluminados, comunhão com o cosmos.

Eugen Herrigel nasceu em Lichtenau, Alemanha, em 20 de março de 1885. Desde jovem se sente atraído pelo misticismo oriental, embora se dedique com afinco à filosofia do Ocidente e ao neokantismo em especial. Confuso, à procura de pistas que levem ao ponto de encontro de todas as religiões e filosofias, termina o doutorado em filosofia na Universidade de Heidelberg. Então, com trinta e nove anos de idade, viaja com a mulher para o Japão, onde passa quase seis anos ensinando na Universidade de Tohoku. Durante esse período dedica-se com afinco ao aprendizado de uma das artes mais *inúteis* que existem: a do arqueiro, tal como praticada pelos mestres Zen-budistas. Já estudara o Zen nos livros. Chegara a hora de conhecê-lo através da vivência concreta. A oportunidade é imperdível. Herrigel vive os anos mais difíceis e mais belos da sua vida. Ao regressar do Japão, é contratado pela Universidade de Erlangen, onde leciona durante muitos anos. Havia publicado dois livros: *Urstoff und Urform* (1926) e *Die metaphysiche Form* (1929), e editado as obras completas do filósofo alemão Emil Lask (1923-24).

Este livro só surgiria em 1948, quase vinte anos depois de Herrigel ter voltado do Japão. Antes de morrer, em 18 de abril de 1955, ele ainda escreve *Der Zen-Weg*, na esteira das publicações semelhantes no Ocidente, com a finalidade de divulgar o Zen da maneira mais simples possível.

A aventura espiritual de Herrigel, vivida na instigante atmosfera das *aulas* do mestre Kenzo Awa, merece ser compartilhada. É uma peregrinação que nos arrebata desde as primeiras páginas deste livro. Uma dura, áspera e longa viagem que começa nas trevas do exterior e termina na ofuscante luminosidade interior e que nos lembra a célebre declaração zen: "Antes que eu penetrasse no Zen, as montanhas e os rios nada mais eram senão montanhas e rios. Quando aderi ao Zen, as montanhas não eram mais montanhas, nem os rios eram rios. Mas, quando compreendi o Zen, as montanhas eram só montanhas e os rios, apenas rios."

Quando o arqueiro zen dispara a flecha, ele atinge a si próprio. Nesse momento mágico, ele se ilumina. Mesmo sem jamais ter empunhado um arco, a dimensão metafórica deste livro não passará despercebida pelo leitor atento, obrigando-o, certamente, a refletir sobre o enredo da sua vida. Não é essa a missão dos bons livros?

J. C. I.
São Paulo, outono de 1983

Introdução

Por Diasetz T. Suzuki

O que nos surpreende na prática do tiro com arco[1] e na de outras artes que se cultivam no Japão (e provavelmente também em outros países do Extremo Oriente) é que não tem como objetivo nem resultados práticos, nem o aprimoramento do prazer estético, mas exercitar a consciência, com a finalidade de fazê-la atingir a *realidade ultima*[2]. A meta do arqueiro não é apenas atingir o alvo; a espada não é empunhada para derrotar o adversário; o dançarino não dança unicamente com a finalidade de executar movimentos harmoniosos. O que eles pretendem, antes de tudo, é harmonizar o consciente com o inconsciente.

Para ser um autêntico arqueiro, o domínio técnico é insuficiente. É necessário transcendê-lo, de tal ma-

---

1. Em que pese a áspera e dura sonoridade dessa expressão, não me ocorre nenhuma outra equivalente à original alemã *Bogenschiessen*, nem à francesa *tir à l'arc* ou a castelhana *tiro con arco*, uma vez que a língua portuguesa não conhece outra que possa substituí-la. (N. do T.)

2. Ou seja, o *nirvana*, um estado de iluminação suprema, para além da concepção do intelecto.

neira que ele se converta numa *arte sem arte*, emanada do inconsciente.

No tiro com arco, arqueiro e alvo deixam de ser entidades opostas, mas uma única e mesma realidade. O arqueiro não está consciente do seu "eu", como alguém que esteja empenhado unicamente em acertar o alvo. Mas esse estado de não consciência só é possível alcançar se o arqueiro estiver desprendido de si próprio, sem, contudo, desprezar a habilidade e o preparo técnico. Dessa maneira, o arqueiro consegue um resultado em tudo diferente do que obtém o esportista, e que não pode ser alcançado simplesmente com o estudo metódico e exaustivo.

Esse resultado, que pertence a uma ordem tão diferente da meramente esportista, se chama *satori*, cujo significado aproximado é "intuição", mas que nada tem a ver com o que vulgarmente assim se denomina. Prefiro, por isso, chamá-lo de *intuição prájnica*. Podemos traduzir *prajnâ* como *sabedoria transcendental*, embora essa expressão tampouco reflita os múltiplos e ricos matizes contidos nessa palavra, porquanto se trata de uma intuição especial, que capta simultaneamente a totalidade e a individualidade de todas as coisas. Essa intuição reconhece, sem nenhuma espécie de meditação, que o zero é o infinito e que o infinito é o zero. E isso não constitui uma indicação simbólica ou matemática, mas uma experiência diretamente apreensível, resultante de uma experiência direta. Psicologicamente falando, o *satori* consiste numa transcendência dos limites do ego. Do ponto de vista lógico, é a percepção da síntese da afirmação e da negação. Metafisicamente, é a apreensão intuitiva de que ser é vir a ser e vir a ser é ser.

A diferença mais marcante entre o Zen e as demais doutrinas de índole religiosa, filosófica e mística é que, sem jamais sair da nossa vida cotidiana, com tudo o que ela tem de concreto e prático, o Zen tem qualquer coisa que o mantém acima e além da banalidade do cotidiano.

Aqui chegamos ao ponto de contato entre o Zen, o tiro com arco e as demais artes, como esgrima, o arranjo de flores, a cerimônia do chá, a dança, a pintura etc.

O Zen é a "consciência cotidiana", de acordo com a expressão de Baso Matsu (morto em 788). Essa "consciência cotidiana" não é outra coisa senão "dormir quando se tem sono e comer quando se tem fome". Quando refletimos, deliberamos, conceptualizamos, o inconsciente primário se perde e surge o pensamento. Já não comemos quando comemos, nem dormimos quando dormimos. Dispara-se a flecha, mas ela não se dirige diretamente ao alvo e este não está onde devia estar. O cálculo verdadeiro se confunde com o falso.

A confusão introduzida no espírito do arqueiro se traduz em todos os sentidos e em todos os domínios.

O homem é definido como um ser pensante, mas suas grandes obras se realizam quando não pensa e não calcula. Devemos reconquistar a ingenuidade infantil, através de muitos anos de exercício na arte de nos esquecermos de nós próprios. Nesse estágio, o homem pensa sem pensar. Ele pensa como a chuva que cai do céu, como as ondas que se alteiam sobre os oceanos, como as estrelas que iluminam o céu noturno, como a verde folhagem que brota na paz do frescor primaveril. Na verdade, ele *é* as ondas, o oceano, as estrelas, as folhas.

Uma vez que o homem alcance esse estado de evolução espiritual, ele se torna um artista zen da vida. Ele não precisa, como o pintor, de telas, pincéis e tintas; nem como o arqueiro, do arco, da flecha, do alvo e dos demais acessórios. Ele tem seus membros, seu corpo, sua cabeça e os órgãos que constituem seu corpo. Sua vida, no Zen, se expressa por meio de todos esses *instrumentos* importantes, como manifestações suas. Suas mãos e os seus pés são os pincéis. O universo é a tela sobre a qual ele pinta sua vida durante setenta, oitenta, noventa anos. Esse quadro se chama *a história*.

Hoyen de Gosozan (morto em 1104) disse: "Eis um homem que converte o vazio do espaço numa folha de papel, as ondas do mar em tinta e o Monte Sumeru em

pincel para escrever estas cinco sílabas: *so-shi-sai-rai-i*[3].
"Diante dele eu estendo meu *zagu* e me inclino profundamente[4]." Poder-se-ia perguntar o que significa essa maneira fantástica de escrever. Por que é digno da mais alta veneração alguém capaz disso? Um mestre do Zen talvez respondesse: "Como quando tenho fome; durmo quando estou com sono." Se seu espírito estiver voltado para a natureza, ele também poderia dizer: "Ontem fazia um belo dia e hoje chove." Mas para o leitor, a pergunta ainda subsiste: "Onde está o arqueiro?"

Neste maravilhoso livro, o professor Herrigel, filósofo alemão que viveu durante muitos anos no Japão e se dedicou ao tiro com arco para poder compreender o Zen, nos transmite sua experiência de uma maneira luminosa. Graças à limpidez do seu estilo, o leitor do Ocidente não terá dificuldade em penetrar na essência dessa experiência oriental, até agora tão pouco acessível.

Ipswich, Massachusetts, maio de 1953

---

3. Esses cinco caracteres chineses significam literalmente: "A razão pela qual o primeiro patriarca veio do Ocidente", isto é, a Índia. Esse tema é frequentemente objeto de um *mondo*. (Ver D. T. Suzuki, "*Essais sur le Bouddhisme Zen*", vol. 1, pág. 302 e seg.) O *mondo* trata da essência do Zen: uma vez compreendido, incorporamo-nos a ele instantaneamente. (N. do T.: O *mondo* é um exercício de perguntas e respostas rápidas para "quebrar" as fronteiras do pensamento conceptual.)

4. O *zagu* é um dos acessórios que o monge zen carrega consigo. O monge o estende à sua frente enquanto se prostra diante do mestre ou do Buda.

Estabelecer, à primeira vista, um paralelo entre o tiro com arco (seja qual for o conceito que dele se tenha) e o Zen parece ser uma intolerável depreciação deste último. Embora, com generosa complacência, aceitemos para o tiro com arco a qualificação de *arte*, dificilmente alguém irá nela buscar outra coisa além da prática de um *esporte*. Se assim pensar o leitor, esperará encontrar neste livro um relato sobre façanhas assombrosas dos arqueiros japoneses, que gozam do privilégio de contar com uma tradição venerável e ininterrupta do manejo do arco e da flecha. Apenas há algumas gerações, o Extremo Oriente trocou os antigos meios de combate por armamentos modernos, mas esse fato não impediu que eles continuassem presentes na vida daqueles países. Pelo contrário, são cada vez mais amplos os adeptos dedicados a tais práticas.

Não se poderá, então, esperar uma descrição do modo peculiar da prática do tiro com arco, tal como ele é praticado e consagrado no Japão como esporte nacional? Não, porque esta suposição está distante da realidade. O tiro com arco, no sentido tradicional, isto é, respeitado como arte e honrado como preciosa herança cultural, não é considerado pelos japoneses como simples esporte que se aperfeiçoa com um treinamento progressivo, mas como um poder espiritual oriundo de exercícios nos quais o espiritual se harmoniza com o alvo. No fundo, o atirador aponta para si mesmo e talvez em si mesmo consiga acertar.

Para muitos leitores, essa abordagem pode parecer enigmática. Como é possível que o tiro com arco, praticado no passado como lutas mortais e sem se ter mantido sequer como esporte nacional, tenha se transformado num sutil exercício espiritual? Para que servem, então, o arco, a flecha, o alvo? Não se estará renegando a antiga, viril e honesta arte do tiro com arco, ao transformá-la em algo nebuloso e impreciso, quase fantástico?

É preciso lembrar que, depois de perdida toda a utilidade nos combates e competições, o *espírito* dessa arte se manifestou de maneira nítida e espontânea. Assim, é um erro afirmar-se que esse *espírito* tenha surgido recentemente, uma vez que sempre foi inerente ao tiro com arco, desde os seus primórdios. Mas sua técnica (depois de ter perdido qualquer importância para o combate) não se converteu num passatempo ameno, sem sentido e seriedade. A **Doutrina Magna** do tiro com arco nos diz outra coisa. Segundo ela, desde os seus primórdios, trata-se de uma questão de vida e morte, na medida em que é uma luta do arqueiro consigo mesmo. Essa forma de luta não é uma medíocre contrafacção, mas sim o que inspira e sustenta toda a luta contra o mundo exterior e, talvez, contra um adversário de carne e osso.

A natureza misteriosa dessa arte se revela unicamente neste combate do arqueiro contra ele mesmo, e por isso seu ensinamento nada tem de essencial, se prescindir da aplicação prática daquilo que em seu tempo exigiam as lutas cavalheirescas.

Quem se dedicar, nos dias de hoje, a esta arte, tem a vantagem de não sucumbir à tentação de ofuscar ou simplesmente impedir – com a proposição de fins utilitários – a compreensão da *Doutrina Magna*, por mais que oculte de si mesmo esses fins. Porque, e nisso estão de acordo os mestres arqueiros de todos os tempos, a verdadeira compreensão dessa arte só é possível àqueles que dela se aproximam com o *coração puro*, despido de qualquer preocupação. Se se perguntar, desse ponto de vista, aos mestres arqueiros japoneses sobre esse enfrentamento do arqueiro consigo mesmo, sua resposta soará mais do que misteriosa. Porque para eles o combate consiste no fato de que o arqueiro se mira e no entanto não se atinge, e que por vezes ele pode se atingir sem ser atingido, de maneira que será simultaneamente o que mira e o que é mirado, o que acerta e o que é acertado. Ou, para nos utilizarmos de uma expressão cara aos mestres, é preciso que o arqueiro, apesar de toda a ação, se converta num ser imóvel para, então, se dar o último e excelso fato: a arte deixa de ser arte, o tiro deixa de ser tiro, pois será um tiro sem arco e sem flecha; o mestre volta a ser discípulo; o iniciado, principiante; o fim, começo, e o começo, consumação.

Para os ocidentais, habituados a conceitos mais *claros*, tais formulações – familiares aos habitantes do Extremo Oriente – são de difícil apreensão, levando quase sempre à perplexidade. É por essa razão que convém irmos buscar sua origem longínqua.

Não é nenhum segredo o fato de que no Japão as artes têm no budismo a sua raiz comum. Essa constatação é válida tanto para a arte dos arqueiros como para a pintura, para a arte dramática, da esgrima, da cerimônia do chá e dos arranjos florais. Isso significa, em primeiro lugar, que todas essas artes pressupõem – e, segundo sua índole, cultivam conscientemente – uma atitude espiritual que em sua forma mais elevada é característica do budismo, e determinam as características essenciais que devem ter os sacerdotes que as difundem.

É importante lembrarmos que ao falar em budismo, não temos em mente o budismo meramente especulativo (que, por ter sido divulgado em livros e artigos *acessíveis,* é o único que o Ocidente conhece), mas o budismo *dhyana*[5], chamado de Zen no Japão. Mesmo naqueles que supõem conhecê-lo baseados em experiências marcantes e poderosas, os *órgãos habituais da compreensão* não conseguem captá-lo, pois ele não é uma simples especulação, mas experiência única que o intelecto não pode conceber. Em resumo: só o conhece quem o ignora.

Com o objetivo de vivenciar essas experiências, o budismo Zen segue por caminhos que, através de um recolhimento metódico e sistemático, conduzem o homem a perceber, no mais profundo da sua alma, o inefável que carece de fundo e de forma. Em relação ao tiro com arco, isso significa (expresso de maneira bastante aproximada e talvez por isso passível de uma interpretação errônea) que os exercícios espirituais suscetíveis de constituir uma arte da técnica *esportiva* sejam exercícios místicos. O tiro com arco não persegue um resultado *exterior*, com o uso do arco e da flecha, mas uma experiência *interior*, muito mais rica.

Arco e flecha são, por assim dizer, nada mais do que pretextos para vivenciar algo que também poderia ocorrer sem eles; pois são apenas auxiliares para

---

5. *Dhyana* é um termo técnico do yoga, que conota a concentração do espírito sobre um objeto único e não é, rigorosamente, o mesmo que Zen, embora ambos derivem da palavra chinesa *Ch'an-na*. O autor tem razão, apenas do ponto de vista etimológico, em identificá-los. (N. do T.)

o arqueiro dar o salto último e decisivo[6]. Assim, nada melhor nos ocorre do que recorrer a exposições dos adeptos do Zen com o objetivo de nos aprofundarmos na compreensão desse assunto. Assim, por exemplo, D. T. Suzuki, em seus *Essays on Zen-Buddhism*[7], demonstrou que a cultura japonesa e o Zen estão intimamente ligados, de maneira que as artes japonesas, a atitude espiritual do samurai, o estilo de vida nipônico e até certo ponto sua moral, sua estética e sua postura intelectual estão fortemente impregnadas dos fundamentos do Zen. Por isso, são quase incompreensíveis para quem não esteja familiarizado com ele.

Os livros de Suzuki, bem como os de outros estudiosos do assunto, têm despertado um interesse significativo. Todos concordam que o budismo **dhyana** – nascido na Índia, e que depois de muitas transformações atingiu sua maturidade na China – foi adotado e cultivado pelo Japão, que dele fez uma tradição viva que subsiste até hoje. É com essa **maneira zen** de viver que nós iremos nos familiarizar.

---

6. Essa expressão, que pode parecer obscura para muitos leitores, é a vivência do *satori*, que é, no fundo, a meta única do Zen-budismo, essencial para atingir o *nirvana*. (N. do T.)

7. Publicados em Londres, em três volumes (1927, 1933, 1934). Existe no mercado uma excelente tradução francesa feita por Jean Herbert para as Éditions Albin Michel. (N. do T.)

Porém, em que pesem os esforços empreendidos pelos divulgadores do Zen, é inegável que continua sendo muito pouco o que nós, ocidentais, temos conseguido apreender da sua essência. Como se se opusesse a toda penetração, nossas tentativas de explorá-lo mediante a intuição e a empatia logo se deparam com obstáculos intransponíveis. Envolto em trevas espessas, o Zen se nos apresenta como o enigma mais estranho proposto pela vida espiritual asiática: insolúvel e, não obstante, irresistivelmente atraente.

A origem dessa penosa impressão de inacessibilidade iremos encontrar na maneira como se tem apresentado o Zen aos não asiáticos. Nenhuma pessoa razoável irá exigir do budista zen, que vive na verdade inconcebível e inexprimível, que ele tente apresentar sequer um esboço das experiências que o libertaram e transformaram. Isso porque o Zen está aparentado com o mais puro e contemplativo misticismo. Quem jamais teve experiências místicas, está e ficará excluído. Essa lei, que rege todo misticismo genuíno, não admite exceções, e o fato de que se dispõe de um número muito grande de textos sagrados não entra em contradição com ela, já que estes têm a peculiaridade de revelar seu sentido vivificante unicamente a quem já vivenciou todas as experiências decisivas, de maneira que seja capaz de extrair daqueles textos a confirmação daquilo que, independentemente deles, experimentou.

Por outro lado, para o neófito, aqueles textos nada significam, pois ele é incapaz de ler nas *entrelinhas*, o que lhe causará grande confusão, mesmo que deles se aproxime com a maior delicadeza e com o esquecimento de si mesmo. O Zen, como toda mística, é acessível apenas ao verdadeiro místico, ou seja, a alguém que não está exposto à tentação de obter, de maneira sub-reptícia, o que a própria experiência mística nega.

Outrossim, a existência de alguém que foi purificado pelo "fogo da verdade" é suficientemente convincente para que se possa fazer pouco caso dela. Assim, não exige muito quem, cedendo a impulsos de uma grande afinidade espiritual, e em busca do poder que produz resultados tão poderosos (não falamos aqui do mero curioso, é óbvio), espera que o zen-budista descreva, pelo menos, o caminho que o conduziu à sua meta.

Nenhum místico, nenhum zen-budista será mais o mesmo depois que houver dado o primeiro passo e atingir sua autoperfeição. Quantas coisas terá de vencer e deixar para trás até que, por fim, encontre a verdade... Quantas vezes será acometido, durante sua caminhada, da sensação de estar aspirando o impossível... E, não obstante, chegará o dia em que o impossível se transformará no possível e, mais ainda, no natural. Então, não será lícito esperarmos uma descrição minuciosa de tão longa e cansativa jornada que nos permita, pelo menos, perguntar se nos atreveremos a percorrê-la?

Porém, tais descrições faltam quase que por completo na literatura zen. Isso se deve, por um lado, ao fato de que o adepto do Zen se recusa sistematicamente a oferecer uma espécie de *Manual para alcançar a bem-aventurança*, pois sabe pela própria experiência que ninguém é capaz de percorrer o caminho do Zen nem chegar ao seu final sem a ajuda de um mestre. Sabe também como é decisivo que suas vivências, vitórias e transformações, embora *suas*, sejam vencidas e modificadas muitas e muitas vezes, até que tudo o que seja *seu* tenha sido aniquilado. É somente a esse preço que ele pode encontrar a base da experiência que, sintetizada na *verdade universal*, o desperta para uma vida que não mais será sua vida pessoal, cotidiana. Transmudado a esse estado, ele vive sem que seja *ele* que esteja vivendo.

Compreende-se, assim, por que o adepto do Zen evita falar de si mesmo e da sua evolução. Não porque o considere uma tagarelice imodesta, mas porque vê nisso uma *traição* ao espírito do Zen. A simples decisão de dizer qualquer coisa a respeito do Zen exige um sério exame de consciência, pois tem diante de si o célebre exemplo de um dos maiores mestres que, interrogado sobre a natureza do Zen, permaneceu em silêncio, imutável como se nada tivesse ouvido. Assim, é concebível que o adepto verdadeiro sucumba à tentação de prestar contas sobre o que deu de si e sobre o que não lhe faz falta.

Diante disso, seria irresponsável de minha parte oferecer fórmulas complicadas e paradoxais, expostas em palavras de efeito. Meu desejo é, ao contrário, fazer reluzir a essência do Zen através do modo como se manifesta numa das artes por ele eleita. Esse reluzir não é, porém, a *iluminação*, na acepção de um termo tão fundamental para o Zen, mas insinua, pelo menos, a presença de algo, como o súbito clarão de um relâmpago longínquo que vemos através da neblina espessa[8]. Apreendida deste modo, a arte do tiro com arco representa, por assim dizer, um curso preparatório ao Zen, pois graças a ela é possível que um acontecimento à primeira vista incompreensível se torne transparente, o que *por si mesmo* antes era impossível.

Do ponto de vista factual, partindo de cada uma das artes mencionadas anteriormente, é possível iniciar-se uma caminhada com destino ao Zen. Contudo, parece-me que posso alcançar minha meta de maneira mais eficiente se descrever a trajetória percorrida por um discípulo da arte dos arqueiros.

---

8. Existem muitas versões da *iluminação* do Buda Gautama. A mais aceita é que ele permaneceu sentado durante sete dias debaixo de uma árvore, até atingir o estado *bodhi* ou *iluminação suprema*: já não era mais o príncipe Sidarta, mas Buda. (N. do T.)

Durante quase seis anos de permanência no Japão, fui instruído por um dos mais eminentes mestres daquela arte. Tratarei, aqui, de expor os acontecimentos ocorridos durante tão longo aprendizado de maneira mais clara possível, pois estarei falando da minha experiência pessoal. Mas para ser compreendido, ainda que de maneira aproximada – porque mesmo a instrução preliminar oferece muitos enigmas –, nada mais posso fazer além de relatar com detalhes todos os obstáculos que tive que vencer e todas as inibições que fui obrigado a superar, antes de conseguir penetrar no espírito da *Doutrina Magna*.

Falo de mim mesmo porque não vejo outra possibilidade de atingir a minha meta. Pela mesma razão, limitar-me-ei a descrever o essencial, para que ele se destaque com maior nitidez. E abster-me-ei deliberadamente de descrever o ambiente onde se realizou meu aprendizado e de evocar cenas fixadas na minha memória e, sobretudo, de esboçar a figura do meu mestre, em que pese o fascínio que ele ainda exerce em mim. Limitar-me-ei a descrever a arte do tiro com arco, tarefa muitas vezes mais difícil do que sua própria aprendizagem. E levarei minha exposição até o ponto em que se vislumbram os remotos horizontes por trás dos quais o Zen respira.

Cabe-me explicar por que me dediquei ao estudo do Zen e por que, a fim de me facilitar seu estudo, me propus a aprender a arte dos arqueiros. Já nos meus tempos de universitário, como que animado por um misterioso impulso, ocupava-me com o estudo do misticismo, não obstante viver numa época que demonstrava pouco interesse por tais inquietações. Mas apesar de todos os meus esforços, sempre tive consciência de que não poderia apreender os ensinamentos místicos de um ponto de vista externo. Eu era capaz, é verdade, de compreender o que se pode chamar de *fenômeno místico primário*, mas não me era possível transpor o círculo que, como uma alta muralha, cerca *o misterioso*.

Na abundante literatura sobre o misticismo, não encontrei o que buscava, e assim, desiludido e desanimado, cheguei à conclusão de que só quem verdadeiramente se isola é capaz de aprender o que significa isolamento, e só quem leva uma vida contemplativa está completamente livre e desprendido de si para a união com o "Deus supradivino". Eu compreendera que não havia outro caminho que conduzisse ao misticismo, a não ser o da própria vivência e o do sofrimento. Se faltam essas premissas, fica apenas o inconsequente palavrório.

Como se chega a ser místico? Como se alcança o estado do verdadeiro isolamento? Separado dos grandes mestres pelo abismo dos séculos, o homem moderno, cujas condições de vida são tão peculiares, poderá encontrar um caminho de acesso? Minhas perguntas permaneciam sem respostas satisfatórias, embora eu soubesse da existência de etapas e de estações de um caminho que prometia conduzir-me ao meu objetivo final. Mas para percorrê-lo faltavam instruções metodológicas precisas que pudessem, pelo menos durante algum tempo, substituir o mestre. Porém, mesmo supondo que tais instruções existissem, seriam elas suficientes? Será que elas só poderiam criar em nós a predisposição de receber aquilo que nem a melhor metodologia pode oferecer, de modo que nenhuma preparação dada pelo homem é capaz de impor à força a vivência mística? Diante de mim, as portas permaneciam fechadas, mas eu não poderia deixar de forçá-las. E, quando o desejo que eu teimava em manter ia desaparecendo, eu ansiava que ele voltasse com maior intensidade.

Assim, logo depois de ter sido designado professor-adjunto, quando me foi oferecida uma cátedra de história da filosofia na Universidade Imperial de Tohoku, recebi, com particular alegria, a oportunidade de conhecer o Japão e os japoneses e de entrar em relação com o budismo, suas práticas contemplativas e sua mística. Eu já sabia que existiam no Japão uma tradição cuidadosamente conservada, uma prática *viva* do Zen, uma didática consagrada pelos séculos e, o mais importante, mestres possuidores de uma assombrosa experiência na arte de orientação espiritual.

Tão logo me instalei provisoriamente no meu novo ambiente, tratei de concretizar os meus desejos. De início, trataram de me dissuadir, não sem mostrar grande perplexidade. Afinal, não se tinha notícia de algum europeu que se houvesse dedicado seriamente ao Zen e, como ele só poderia ser transmitido pela *prática*, eu não iria me conformar em receber apenas ensinamentos teóricos.

Perdi muito tempo antes que compreendessem por que queria dedicar-me ao Zen não especulativo... Então me informaram que, para um europeu, seria pouco menos do que inútil tratar de penetrar no âmbito da vida espiritual asiática, a mais estranha do planeta, a não ser que eu começasse a estudar uma das artes japonesas vinculadas ao Zen. A ideia de ter que cursar uma espécie de escola primária me assustou. Eu estava disposto a fazer qualquer concessão para poder aproximar-me paulatinamente do Zen, e até o mais penoso desvio era preferível à ausência de um caminho.

Minha mulher aderiu, sem muita hesitação, ao estudo de arranjos florais e à pintura, enquanto que para mim era atraente o tiro com arco, pois eu supunha (erradamente, como descobriria mais tarde), que minhas experiências com fuzil e pistolas seriam úteis.

Pedi a um dos meus colegas, Zozo Komachiya, professor de direito que, desde os vinte anos de idade, tomava aulas de tiro com arco e era considerado o melhor conhecedor dessa arte na Universidade, que me recomendasse como aluno ao seu preceptor, o célebre mestre Kenzo Awa.

De início, o famoso mestre recusou meu pedido, alegando que já se havia deixado convencer por um estrangeiro para ensiná-lo e que os resultados foram muito desagradáveis. Por isso, não estava disposto a aceitar um novo pedido, pois temia prejudicar o aluno com o espírito peculiar dessa arte. Somente quando lhe assegurei que um mestre que tomava tão a sério sua missão tinha o direito de tratar-me como o mais jovem dos discípulos – porque eu não desejava aprender a arte para divertir-me, mas para penetrar na **Doutrina Magna** –, ele me aceitou, a mim e à minha mulher, como alunos. Era costume no Japão iniciar também as mulheres nesta arte, motivo pelo qual a mulher do meu mestre e as suas filhas se exercitavam assiduamente.

Assim começou um árduo e intenso aprendizado, durante o qual participava como intérprete, para nossa satisfação, o professor Komachiya, que com tanta insistência havia intercedido em nosso favor, oferecendo-se quase como um avalista.

Por outro lado, a oportunidade de assistir, na qualidade de ouvinte, às aulas de arranjos florais e de pintura frequentadas por minha mulher, me permitia obter, mediante comparações com outras artes complementares, uma base mais ampla para auxiliar minha compreensão.

Desde a primeira aula, fomos alertados de que o caminho que conduz à *arte sem arte* é áspero. Primeiramente, o mestre nos mostrou os arcos japoneses e nos explicou que sua extraordinária elasticidade era resultado de sua construção peculiar e das características do bambu, ou seja, do material de que eram construídos. Depois, ele nos chamou a atenção para a forma nobre que possui o arco, de quase dois metros de comprimento, quando armado com a corda, e que se manifesta de maneira surpreendente quanto mais é tensionado. "Quando estiramos a corda ao máximo", disse-nos o mestre, "o arco abarca o universo, e por isso é importante saber curvá-lo adequadamente". Em seguida, escolheu o melhor e o mais resistente dos seus arcos e, numa atitude solene, fez a corda vibrar repetidas vezes, extraindo um som ao mesmo tempo grave e agudo que, depois de se escutar algumas vezes, jamais se esquece, tão original e irresistível é a maneira como ele chega ao coração. Desde tempos remotos se atribui a esse som o misterioso poder de afastar os maus espíritos: eu podia, então, compreender por que tal crença se arraigara no povo japonês.

Depois dessa significativa introdução, purificadora e consagratória, o mestre nos convidou a observá-lo atentamente. Colocou uma flecha, estirou o arco de tal maneira que cheguei a temer que não resistisse a encerrar o universo, e finalmente disparou. A cena não só pareceu muito bela, como fácil de ser imitada. Então nos ordenou: "Façam o mesmo, mas lembrem-se de que o tiro com arco não é destinado a fortalecer os músculos. Não estirem a corda aplicando todas as suas forças, mas procurando dar trabalho unicamente às mãos, enquanto os músculos dos braços e dos ombros ficam relaxados, como se estivessem contemplando a ação, sem nela intervir. Somente quando tiverem aprendido isso é que cumprirão uma das condições para que *o tiro se espiritualize*."

Logo depois de pronunciar tais palavras, tomou minhas mãos e guiou-as lentamente pelas fases do movimento que em seguida teriam que executar, como para acostumar-me àquela nova experiência.

Logo na primeira tentativa, realizada com um arco de resistência média, percebi que precisava empregar muita força para curvá-lo. A isso se somava a dificuldade de que o centro do arco japonês, ao contrário do europeu, não se encontra na altura dos ombros, não oferecendo, por isso, uma espécie de ponto de apoio. Assim, uma vez colocada a flecha, temos que erguê-lo com os braços quase estendidos, de tal maneira que as mãos do arqueiro fiquem acima da sua cabeça. Por conseguinte, não se pode fazer outra coisa a não ser separá-las uniformemente, à direita e à esquerda, e, quanto mais se afastam uma da outra, mais descem, descrevendo curvas, até que a esquerda, que sustenta o arco, se encontra com o braço estendido à altura dos olhos, e a direita, que estira a corda, com o braço dobrado à altura da articulação do ombro. A ponta da flecha de quase um metro de comprimento sobressai muito pouco da borda exterior do arco, tão grande é a sua envergadura.

O arqueiro deve permanecer naquela posição durante alguns momentos antes de disparar a flecha. A força necessária para sustentar o arco de maneira tão insólita fez com que em poucos instantes minhas mãos começassem a tremer e a respiração ficasse mais difícil. Durante semanas, essas reações se repetiram. O gesto de estirar o arco continuou a exigir de mim grande esforço e, por mais que eu me exercitasse, não chegou a *espiritualizar-se*. Para consolar-me, pensei que se tratava de um ardil que por alguma razão o mestre não queria revelar-me, o que despertou minha curiosidade.

Aferrado com obstinação ao meu objetivo, continuei praticando. O mestre observava atentamente meus esforços, corrigia serenamente a rigidez da minha postura, elogiava meu zelo, censurava-me pelo desperdício de energia e deixava-me prosseguir. Vez por outra, exclamava em minha língua: "Relaxe-se!", enquanto colocava os dedos nos pontos dolorosos do meu corpo, sem nunca perder a paciência nem a afabilidade. Porém, chegou o dia em que fui *eu* quem perdeu a paciência e lhe confessei que me era simplesmente impossível estirar o arco da maneira indicada. "Se o senhor não consegue", replicou o mestre, "é porque respira de maneira inadequada. Depois de inspirar, solte o ar lentamente, até que a parede abdominal esteja moderadamente tensa, retendo-o por alguns segundos. Em seguida, expire da maneira mais lenta e uniforme possível e, depois de um breve intervalo, volte a aspirar

rapidamente, continuando, assim, a inspirar e expirar com um ritmo que pouco a pouco se instalará por si só. Se fizer isso de maneira correta, sentirá que o tiro se torna cada vez mais fácil, pois essa respiração não só lhe permitirá descobrir a origem de toda força espiritual, mas fará brotá-la como um manancial cada vez mais abundante, irradiando-se pelos seus membros."
Em seguida, para me demonstrar o que havia dito, armou o seu forte arco e me convidou a colocar-me por trás dele, a fim de poder apalpar-lhe os músculos dos braços. Com efeito, estavam livres de tensão, como se não estivessem fazendo esforço.

Pratiquei a *nova respiração* sem arco e flecha até ela se converter numa coisa natural. Até a leve tortura que me acometera desde o início das aulas desapareceu.

Nosso mestre dava tanta importância à expiração lenta e uniforme – que deveria desaparecer paulatinamente – que, para melhor exercitá-la e controlá-la, fazia-nos acompanhá-la de um zumbido. Somente quando, com o último vestígio do hálito, o ruído também se extinguia, é que nos autorizava a voltar a inspirar. Ele dizia que a inspiração une e reúne tudo o que é justo e a expiração libera e consuma, vencendo toda restrição. Mas nós não éramos, então, capazes de compreender essa linguagem.

Em seguida, o mestre passou a relacionar a respiração com o tiro com arco, porque ela não se *pratica* como um fim em si mesma. A ação contínua de estirar o arco e disparar a flecha se dividia nas seguintes fases: *segurar o arco, colocar a flecha, levantar o arco, estirá-lo e mantê-lo no máximo de tensão e disparar.* Cada fase se iniciava com uma inspiração, apoiava-se no ar retido no abdome e terminava com uma expiração. Tudo isso era possível porque a respiração se adaptara de maneira natural, não apenas acentuando significativamente as diferentes posturas e os movimentos, mas entrelaçando-os ritmicamente em cada um de nós, segundo as características respiratórias individuais. Não obstante estar decomposto em várias fases sucessivas, o procedimento de cada um de nós dava a impressão de um acontecimento único, que vive de si e em si mesmo e que nem de longe pode ser comparado com um exercício de ginástica, ao qual podem ser adicionados ou substituídos gestos sem que lhe destruam o caráter e o significado.

Não me é possível recordar aqueles dias sem deixar de lembrar como era difícil, no princípio, fazer com que a respiração surtisse o efeito desejado pelo mestre. Eu respirava de forma tecnicamente correta, mas quando, ao estirar o arco, me concentrava para que os músculos dos braços e dos ombros permanecessem relaxados, a musculatura das pernas se contraíam independentemente da minha vontade. Era como se me fizessem falta uma base firme de apoio e uma postura sólida e, como Anteu[9], tivesse que extrair toda a minha energia da terra.

Muitas vezes, o mestre não tinha outro remédio a não ser apertar subitamente algum músculo das minhas pernas, em pontos particularmente sensíveis. Quando, numa dessas ocasiões, eu lhe disse, à guisa de desculpa, que eu estava me esforçando para permanecer relaxado, replicou: "Este é o seu maior erro: o senhor se *esforça*, só pensa nisso. Concentre-se apenas na respiração, como se não tivesse de fazer mais nada!" Entretanto, passou muito tempo antes que eu conseguisse atender às suas exigências. Mas consegui. Aprendi a deter-me na respiração tão despreocupadamente que às vezes tinha a sensação de não respirar, mas de ser respirado, por estranho que pareça. E embora, nas horas de meditação, eu me defendesse de tão extravagante ideia, já não podia duvidar que a respiração ocorria exatamente como o mestre havia prometido.

Aos poucos e cada vez com maior frequência, à medida que se passavam os dias, consegui estirar o arco e mantê-lo teso com o corpo relaxado, sem que pudesse explicar como aquilo estava ocorrendo. A diferença qualitativa entre essas poucas tentativas satisfatórias e as que com frequência fracassavam fizeram com que

---

9. Personagem da mitologia grega, guerreiro indestrutível e cruel, que retirava uma energia descomunal do contato com o solo. (N. do T.)

eu começasse a entender o que significava estirar o arco *espiritualmente*. Era este, pois, o *quid* da questão: não se tratava de nenhum ardil técnico, que eu em vão queria descobrir, mas de uma respiração **nova**, que me abria inusitadas possibilidades de liberação. Não digo tais palavras impensadamente: sei muito bem como é grande, nesses casos, a tentação de sucumbir a uma forte influência e, enredado por uma falsa ilusão, superestimar o alcance de uma experiência que por si só é insólita.

O sucesso obtido por essa nova maneira de respirar era evidente demais, a despeito de todos os meus escrúpulos, condicionados pela reflexão típica que fazem os espíritos positivos. Eu já conseguia estirar, relaxadamente, o arco rígido do mestre.

Certa ocasião, durante uma longa conversa mantida com o professor Komachiya, perguntei-lhe por que o mestre havia observado impassivelmente e durante tanto tempo meus esforços infrutíferos para estirar o arco *espiritualmente*. Não teria sido mais fácil que ele tivesse me ensinado, desde o princípio, a respiração correta? "Um grande mestre", respondeu-me, "tem que ser ao mesmo tempo um grande educador, pois para nós esses atributos são inseparáveis. Se o aprendizado tivesse sido iniciado com os exercícios respiratórios, jamais o senhor se convenceria da sua influência decisiva. Era preciso que o senhor naufragasse nos próprios fracassos para aceitar o colete salva-vidas que ele lhe lançou. Creia-me, eu sei por experiência própria que o mestre conhece o senhor e cada um de seus discípulos melhor do que nós mesmos. Ele lê nas nossas almas muito mais do que estamos dispostos a admitir."

Depois de um ano inteiro de exercícios, ser capaz de estirar o arco de forma *espiritual,* isto é, vencendo-lhe a resistência sem nenhum esforço, não é um acontecimento excepcional. Contudo, eu me achava satisfeito, pois comecei a compreender como a técnica de defesa pessoal prostra o adversário sem despender nenhuma força, apenas recuando, elástica e imprevistamente, aos seus esforços. É por isso que essa forma de luta se chama *arte gentil* (tradução literal das palavras *jiu-jitsu*), e o seu símbolo é o da água que sempre cede, mas jamais é vencida. Não foi por outro motivo que Lao-Tsé[10] disse que a vida autêntica

---

10. Místico chinês que viveu no século VI a.C. Considerado o "pai" do taoismo, foi contemporâneo de Confúcio. É autor do célebre *Tao-te-ching*, que contém a essência do seu pensamento, todo ele voltado para a bi-

se parece com a água, que a tudo se adapta porque a tudo se submete.

Nas aulas do mestre, era hábito dizer-se que quem não mostrava dificuldades no começo iria conhecê-las, de maneira muito mais forte, durante o curso. Para mim, o início tinha sido extremamente penoso. Eu não teria, então, o direito de ser otimista em relação ao que me esperava, e cujos sacrifícios eu vislumbrava vagamente?

As aulas prosseguiram com o aprendizado do disparo da flecha, que até o momento havia sido praticado displicentemente, como se estivesse entre parênteses, à margem dos exercícios. Não nos preocupávamos com o que sucedia com a nossa flecha. Era suficiente cravá-la no disco de palha prensada que fazia as vezes de alvo, apoiado num banco de areia. Acertá-lo não era nenhuma façanha, pois estava, quando muito, a uma distância de dois metros.

Até então, quando me parecia insuportável permanecer por mais tempo na tensão máxima, eu simplesmente soltava a corda, para não aproximar as minhas mãos, que eu distanciara com tanto esforço. Não pensem que a tensão me causava dor. Um protetor de couro no polegar impede que a pressão da

---

polaridade cósmica, e cuja tradução aproximada é *o livro que conduz à divindade*. (N. do T.)

corda o machuque e que o arqueiro, por causa disso, interrompa prematuramente o tensionamento do arco. Para estirá-lo, dobra-se o polegar em torno da corda e por debaixo da flecha, o indicador, o médio e o anular prendem-no com firmeza, dando ao mesmo tempo um apoio seguro à flecha. Disparar significa que os dedos que prendem o polegar se abrem e o liberam. A forte tração da corda tira-o da posição e o estica: a corda vibra e a flecha é lançada.

Os meus disparos provocavam sacudidelas e trepidação generalizada no meu corpo, que se transmitiam ao arco e à flecha. Por causa disso, nenhum tiro era suave e muito menos acertava o alvo. Certo dia, quando não encontrava mais nenhum vício na minha postura, disse-me o mestre: "Tudo o que o senhor aprendeu até agora não foram mais do que exercícios preparatórios para o disparo. Começaremos agora uma nova etapa, particularmente difícil, através da qual atingiremos um novo nível na arte do tiro com arco." Em seguida, pegou o seu arco e o disparou. Só então – e porque ele me chamou a atenção para esse detalhe – observei que sua mão direita, aberta repentinamente e liberada de toda tensão, fez um brusco movimento de retrocesso, sem que o menor estremecimento percorresse o seu corpo. O braço direito, que antes do disparo formava um ângulo agudo, cedeu à tração e se abriu, com um movimento suave. O impacto inevitável havia sido amortizado e neutralizado elasticamente. Se a potência do disparo não se revelasse pelo estalo produzido pela corda ao chocar-se com o arco, nem pela velocidade da flecha, o movimento do arqueiro não permitiria que suspeitássemos daquilo que víamos. Executado pelo mestre, o disparo parecia simples e carente de complexidade, como se fosse uma brincadeira infantil.

A facilidade com que se executa um ato que exige força é, sem dúvida, um espetáculo cuja beleza o oriental aprecia com grande prazer. Quanto a mim, parecia mais importante ainda – e, dado o meu estágio de aprendizagem, não podia me ocorrer outra coisa – que a precisão do tiro dependia da suavidade do disparo. Minhas experiências com o fuzil me ensinaram o quanto contribui para um erro o menor tremor das mãos.

Tudo o que eu havia aprendido até então era: relaxar ao estirar, permanecer relaxado durante a tensão máxima, estar relaxado ao soltar a flecha e compensar, relaxadamente, o tremor do corpo. Afinal, tudo isso não estava a serviço da precisão do tiro, isto é, o objetivo para o qual nos dedicamos com tanta paciência e sofrimento? Por que, então, o mestre agora falava de um acontecimento que ultrapassaria tudo o que havíamos feito até agora?

Eu continuava me exercitando com afinco, segundo todos os ensinamentos do mestre, mas meus esforços eram vãos. Muitas vezes, tive a impressão de que antes, quando disparava com espontaneidade, obtia resultados melhores. Eu não podia abrir sem esforço a mão direita (primeiramente, os dedos que prendiam o polegar) e a consequência era uma sacudidela que desviava a flecha no momento do disparo. E era também incapaz de compensar elasticamente o choque da mão direita liberada. Imperturbável, o mestre me mostrava de vez em quando a execução correta do disparo. Com perseverança, eu tratava de imitá-lo, sem outro resultado que o da minha insegurança cada vez maior. Eu parecia uma centopeia incapaz de mover as patas, por não saber em que ordem isso deveria ser feito.

Meu fracasso afetava muito mais a mim do que ao mestre. Saberia ele, por experiência própria, que tais fatos ocorriam? "Não pense no que deve fazer ou em como fazê-lo!", exclamou. "Somente se o próprio arqueiro se surpreender com a saída da flecha é que o tiro sai suavemente, como se a corda cortar de repente o polegar que a retém, sem que se abra a mão intencionalmente."

Seguiram-se semanas e meses de infrutíferos exercícios. Os disparos do mestre me forneciam indicações precisas, revelavam-me a sua essência, mas, quanto a mim, os fracassos se repetiam. Se, esperando em vão pelo disparo, cedia à tensão porque ela era insuportável, as mãos se aproximavam lentamente uma da outra, não resultando tiro algum. Se resistia obstinadamente até perder o fôlego, eu era obrigado a forçar a musculatura dos braços e dos ombros, "permanecendo como uma estátua", nas palavras do mestre, numa posição espasmódica, sem nenhum relaxamento.

Devido a uma casualidade que parecia intencional reunimo-nos, certo dia, o mestre e eu, diante de uma xícara de chá. A ocasião me pareceu propícia para um diálogo profundo. Abri meu coração: "Compreendo muito bem que a mão não deve abrir-se bruscamente no ato do disparo, mas, faça o que fizer, sempre me saio mal. Se fecho a mão com todas as minhas forças, o golpe ao abri-la é inevitável. Por outro lado, se me esforço para deixá-la relaxada, a corda me escapa antes de estar estirada completamente, antes de eu estar pronto para atirar. Oscilo entre esses extremos do fracasso e não encontro solução."

"É preciso manter a corda esticada", explicou o mestre, "como a criança que segura o dedo de alguém. Ela o retém com tanta firmeza que é de admirar a força contida naquele pequeno punho. Ao soltar o dedo, ela o faz sem a menor sacudidela. Sabe por quê? Porque a criança não pensa: 'agora vou soltar o dedo para pegar outra coisa'. Sem refletir, sem intenção nenhuma, volta-se de um objeto para outro, e dir-se-ia que *joga* com eles, se não fosse igualmente correto que são os objetos que jogam com a criança."

"Compreendo o que o senhor quer dizer com essa comparação, mas não me encontro numa situação diferente? Quando estou com o arco estirado, chega um momento em que sinto que, se não disparar imediatamente, não resistirei mais à tensão. O que sucede, então? Fico sem poder respirar. E sou *eu* quem deve dispará-lo a todo custo, porque não consigo esperar mais."

"O senhor acaba de descrever com perfeição qual é sua dificuldade. Sabe por que não pode esperar pelo momento exato do disparo e por que perde a respiração? O tiro justo no momento justo não ocorre porque o senhor não sabe desprender-se de si mesmo, um acontecimento que deveria ocorrer de maneira independente, pois, enquanto não suceder, a mão não se abrirá de maneira adequada, como a da criança."

Tive de admitir diante do mestre que essa interpretação me confundia ainda mais: "Pois sou eu quem estira o arco e sou *eu* quem o dispara em direção do alvo. Estirar o arco é, pois, um meio para um fim, e essa relação não pode ser perdida de vista. A criança, contudo, não a conhece e eu, obviamente, não posso descartá-la."

"A arte genuína", afirmou o mestre, "não conhece nem fim nem intenção. Quanto mais obstinadamente o senhor se empenhar em aprender a disparar a flecha para acertar o alvo, não conseguirá nem o primeiro e muito menos o segundo intento. O que obstrui o caminho é a vontade demasiadamente ativa. O senhor pensa que o que não for feito pelo senhor mesmo não dará resultado."

"Mas o senhor mesmo me disse muitas vezes que a arte do arqueiro não é um passatempo, um jogo carente de finalidade, mas uma questão de vida ou morte."

"Eu não me desminto. Nós, os mestres arqueiros, dizemos: um tiro, uma vida! Talvez lhe seja difícil compreender isso, mas posso ajudá-lo com outra imagem que expressa a mesma vivência. Nós dizemos que com a extremidade superior do arco o arqueiro trespassa o céu; na inferior está suspensa, por um fio de seda, a terra. Se o tiro for disparado com violência, existe o perigo de que o fio se rompa. Para o voluntarioso e agressivo, o abismo será, então, definitivo, e ele permanecerá no centro fatal, entre o céu e a terra, sem jamais vir a conhecer a salvação."

"Então, o que devo fazer?"

"Tem que aprender a esperar."

"Como se aprende a esperar?"

"Desprendendo-se de si mesmo, deixando para trás tudo o que tem e o que é, de maneira que do senhor nada restará, a não ser a tensão sem nenhuma intenção."

"Quer dizer que devo, intencionalmente, perder a intenção?"

"Confesso-lhe que jamais um aluno me fez tal pergunta, de maneira que não sei respondê-la de imediato."

"Quando começaremos com novos exercícios?"

"Espere até que chegue o momento."

Esse prolongado diálogo, o primeiro que mantínhamos desde o início da minha admissão às aulas, me deixou perplexo. Finalmente, eu e o mestre tocávamos no tema pelo qual eu me interessava ao me decidir estudar a arte do arqueiro. A liberação de si mesmo, de que ele falava, não era o caminho que conduzia ao vazio e à meditação? Não era chegado, pois, o momento a partir do qual se fazia sentir a influência do Zen sobre a arte do tiro com arco? Eu não conseguia determinar a relação que existia entre a expectativa livre de intenção e o disparo da flecha, no momento de liberar a tensão. Mas por que antecipar com o pensamento o que só a experiência pode ensinar? Já não era tempo de afastar tão estéril propensão? Quantas vezes eu havia invejado os numerosos discípulos do mestre que, como crianças, se deixavam tomar pela mão para que ele os guiasse... Como devem ser felizes as pessoas que assim agem... Esse comportamento não conduz à indiferença nem à paralisia espiritual. Afinal, as crianças não costumam fazer inúmeras perguntas?

Durante a aula seguinte, sofri uma grande decepção, pois o mestre insistia em continuar com os mesmos exercícios: estirar o arco, mantê-lo tensionado, disparar a flecha. Por mais que ele me encorajasse, eu estava desanimado. Seguindo suas instruções, eu procurava não ceder à tensão, mas superá-la, como se a natureza do arco não tivesse limite algum, e esperava com paciência e afinco que, no ato do disparo, a tensão se consumasse e se resolvesse de vez. Em vão. Eu perdia todos os tiros: artificiais, tremidos, desviados. Quando chegou o momento a partir do qual a continuação desses exercícios se mostrava não só inútil, como perigosa (porque cada vez mais aumentava o pressentimento do fracasso), o mestre decidiu iniciar uma etapa completamente nova. "De agora em diante", advertiu-nos, "devem começar a se concentrar durante o caminho para as aulas, sem prestar atenção em nada e em ninguém, como se no mundo inteiro existisse apenas uma única coisa importante e real: o tiro com arco."

O mestre decompôs em seções diferentes o caminho da libertação de si mesmo, cada uma das quais devendo ser atentamente praticada. Suas breves e delicadas insinuações continuavam, pois para executar tais exercícios é suficiente que o aluno compreenda, e às vezes apenas vislumbre, o que se espera dele. Não é necessário recorrer-se às tradicionais e nítidas distinções metafóricas. É provável que elas, oriundas de uma prática centenária, penetrem em nós com maior profundidade do que o nosso conhecimento cuidadosamente elaborado. O primeiro passo já havia sido dado: graças a ele chegáramos ao relaxamento corporal, sem o que não é possível estirar-se o arco adequadamente. Porém, para que o tiro ocorra de forma apropriada, o relaxamento físico tem que se entrelaçar com o relaxamento psico-espiritual, com a finalidade não só de agilizar, como de liberar o espírito. Temos que ser ágeis para alcançar a liberdade e livres para recuperar a agilidade primordial. Essa agilidade primordial é diferente de tudo o que se entende vulgarmente por agilidade mental.

Entre o estado de relaxamento psíquico de um lado e o da liberdade espiritual de outro, existe uma diferença de nível que o ato de respirar, por si só, não pode compensar. Para perdermos o eu, é necessário cortarmos todas as amarras, sejam quais forem, para que a alma, submergida em si mesma, recupere todo o poder da sua indizível origem.

Não conseguiremos fechar a porta dos sentidos através de uma simples reclusão, mas de uma disposição de ceder sem resistência. Para conseguirmos instintivamente essa atitude não ativa, a alma precisa de um apoio íntimo, que é o ato de respirar. Ele deve ser executado conscientemente, com um cuidado beirando a afetação. Tanto a inspiração como a expiração precisam ser praticadas em separado e com a maior atenção. Os bons resultados desses exercícios não tardam. Quanto mais intensa a concentração na respiração, mais rapidamente desaparecem os estímulos exteriores, pois eles se confundem com vagos murmúrios a que prestamos cada vez menos atenção, até que deixem de nos perturbar, como o ruído das ondas quebrando-se na praia.

Com o passar do tempo, conseguimos nos insensibilizar para estímulos fortes e deles nos desprender com maior facilidade e rapidez. É importante, porém, que o nosso corpo, esteja em pé, sentado ou apoiado, permaneça o mais relaxado possível e concentrado na respiração. Rapidamente nos sentiremos isolados como que por um invólucro acústico. Assim, a única coisa que sabemos e sentimos é que *respiramos*, e para nos libertarmos desse saber e sentir não é necessária nenhuma decisão, pois a respiração irá, espontaneamente, ficando mais lenta, diminuindo cada vez mais o consumo de ar e, por conseguinte, prendendo cada vez menos a nossa atenção.

Infelizmente, esse agradável estado de recolhimento pode não ser duradouro, pois está arriscado a ser destruído: como que brotando do nada, surgem de repente estados de ânimo, sentimentos, desejos, preocupações e até pensamentos borrados uns com os outros que, quanto mais fantásticos, menos estão relacionados com aquilo pelo qual prescindimos de nossa consciência comum, tão mais obstinadamente nos dominam. É como se quisessem se vingar pelo fato de a consciência tocar esferas às quais comumente não chegam. Mas essa perturbação é vencida se se continua respirando tranquila e serenamente, aceitando-se de maneira agradável o que acontece, acostumando-se à perturbação, aprendendo-se a contemplá-la com indiferença e, finalmente, cansando-se de acompanhá-la. Assim se imerge, pouco a pouco, num estado similar àquele relaxamento que precede o sono.

Deslizar definitivamente para esse estado é um perigo que devemos evitar: consegui-lo-emos mediante um esforço especial de concentração, que pode ser comparado ao que faz alguém que sabe que sua vida depende da vigília de todos os seus sentidos. Feito uma vez, esse esforço poderá ser repetido seguidamente com toda segurança. Graças a ele, a alma entra espontaneamente numa espécie de vibração suscetível de se intensificar, até chegar à sensação de incrível leveza, que só experimentamos poucas vezes no sonho, e à segurança de podermos dirigir energia em qualquer direção, aumentar e dissolver tensões, numa lenta e gradual adaptação.

Esse estado, em que não se pensa nada de definido, em que nada se projeta, aspira, deseja ou espera e que não aponta em nenhuma direção determinada (e não obstante, pela plenitude da sua energia, se sabe que é capaz do possível e do impossível), esse estado, fundamentalmente livre de intenção e do eu, é o que o mestre chama de *espiritual*. Com efeito, ele está carregado de vigília espiritual, e recebe também a denominação de *verdadeira presença de espírito*. Isso significa que o espírito está onipresente, porque não está preso em nenhum lugar. E assim pode permanecer, pois embora se relacione com isto ou aquilo, não se liga a nada reflexivamente e, portanto, não perderá a sua mobilidade original. Podemos compará-lo à água que enche um tanque, mas que em qualquer momento está em condições de extravasá-lo. Pode usar sua inesgotável energia porque está livre, e abrir-se para todas as coisas porque está vazio. Um círculo vazio, símbolo desse estado primordial, fala com muita força para quem nele se encontra.

Quem se libertou de todas as ligações tem que exercer qualquer arte que seja, a partir dessa plenipotência da sua presença de espírito não distraída por nenhuma intenção, por mais oculta que seja. Mas para que se possa esquecer de si mesmo durante o processo de realização formal, é preciso que a prática de tal arte seja atraente. Porém, se estiver imerso em si mesmo diante de uma situação dentro da qual for impedido de entrar instintivamente, ela não se desprenderia da consciência. Assim, voltaria a ligar-se com todos os vínculos de que se desprendera, parecendo-se com quem acorda e se programa para o dia, jamais como iluminado que vive no estado primordial e age a partir dele. Não teria a impressão de que as diferentes fases do processo realizador se *deram* através das suas mãos, como que emanadas de um poder superior, e não saberia jamais com que força embriagadora o vibrante impulso de um acontecimento é capaz de transmitir-se a quem é, em si mesmo, mera vibração, pois tudo o que faz está feito antes que o saiba.

O desprendimento e a liberação necessários, a internalização e condensação da vida até a plena presença do espiritual não devem ficar à mercê de uma predisposição favorável nem à sorte, nem tampouco ao processo criador, que exige todas as energias, com a esperança de que a concentração necessária surja espontaneamente. Ao contrário, antes de qualquer ação e desempenho, antes de toda entrega e assimilação, deve-se provocar essa presença do espiritual e assegurá-lo por meio do exercício. A partir do momento em que ela é conseguida com êxito e em poucos instantes, a concentração, tal como a respiração, relaciona-se com o tiro com arco. Para penetrar, como deslizando suavemente, na ação de estirar o arco e disparar a flecha, o arqueiro, que ajoelhado começara a se concentrar, se levanta, dirige-se a passo solene em direção ao alvo e, depois de uma profunda reverência e de apresentar o arco e flecha como oferendas sagradas, coloca uma flecha, levanta o arco, estira-o e, num estado de intensa vigília espiritual, permanece esperando. Depois da fulminante liberação da flecha – e da tensão –, o arqueiro conserva a postura adotada imediatamente após o disparo, até que, depois de uma prolongada expiração, volta a aspirar. Então, baixa os braços, inclina-se diante do alvo e, se não tiver que disparar mais flechas, retira-se serenamente para o fundo do recinto.

Dessa forma, o tiro com arco se converte numa cerimônia que interpreta a *Doutrina Magna*. Embora nessa etapa o discípulo não tenha apreendido a transcendência dos seus tiros, compreende definitivamente que o tiro com arco não pode ser um esporte ou um mero exercício físico. E compreende por que o meramente técnico, enquanto é aprendido, tem que ser praticado até a exaustão. Isso tudo depende de que, esquecidos por completo de nós mesmos e livres de toda intenção, **nos adaptemos ao acontecer**: a execução de algo *exterior* desenvolve-se com toda a espontaneidade, prescindindo da reflexão controladora.

Com efeito, a maneira japonesa de ensinar conduz a um domínio incondicional das formas. Praticar, repetir, repassar o repetido numa linha ascendente, tais são as suas características. Pelo menos quanto às artes tradicionais, essa afirmação é verdadeira. Demonstrar, exemplificar, penetrar o espírito e reproduzi-lo, tais são as etapas tradicionais da didática japonesa, apesar de que, durante as últimas gerações, juntamente com a introdução de novas mudanças, a metodologia europeia tem sido assimilada com indiscutível facilidade. A que se deve, pois, em que pese todo entusiasmo pelo novo, o fato de que as artes nipônicas não tenham sido essencialmente afetadas por essa nova didática? Não é fácil responder a tal pergunta. Contudo, tentarei fazê-lo, ainda que de maneira sumária, com a finalidade de destacar o estilo do ensino e, por consequência, o significado da imitação.

O aluno japonês traz consigo três coisas: uma boa educação, um profundo amor pela arte escolhida e uma veneração incondicional pelo mestre. Desde tempos imemoriais, a relação entre mestre e discípulo pertence às relações elementares da vida e ultrapassa muito os limites da matéria que ensina. No princípio, a única coisa que se lhe exige é que imite respeitosamente tudo o que o mestre faz. Pouco amigo de prolixos doutrinamentos e motivações, ele se limita a breves indicações e não espera que o aluno faça perguntas. Observa tranquilamente suas ações, sem esperar independência ou iniciativa própria, aguardando com paciência o crescimento e a maturação. Os dois dispõem de tempo: o mestre não pressiona, o discípulo não se precipita. Longe de querer despertar prematuramente o artista, o mestre considera como sua missão primordial converter o discípulo num artesão que domine profundamente o ofício, o que este fará com a sua habitual e pertinaz dedicação e como se não tivesse aspirações mais elevadas, submetendo-se ao duro aprendizado com resignação, para descobrir, com o passar dos anos, que o domínio perfeito da arte, longe de oprimir, libera.

Dia após dia ficava cada vez mais fácil levar a cabo, sem esforço, as sugestões técnicas que eram propostas, mas devíamos também ser capazes de ter inspirações próprias, indispensáveis para nosso enriquecimento interior. Assim, por exemplo, a mão que guia o pincel, no exato momento que o espírito começa a elaborar as formas, já encontrou, juntamente com esse, a *ideia* que pretendem realizar: o aluno, por causa disso, não sabe se o "autor" da obra é a mão ou o espírito. Mas para que isso possa ocorrer, quer dizer, para que o trabalho se *espiritualize*, se faz necessária a concentração de todas as energias físicas ou psíquicas, tal como na arte dos arqueiros. Em nenhuma circunstância, como veremos nos exemplos seguintes, é possível prescindirmos da concentração.

Um pintor que trabalha com tinta nanquim senta-se diante dos seus alunos. Examina os pincéis e arruma-os pausadamente. À sua frente, sobre uma esteira, está estendida uma longa e estreita tira de papel. Finalmente, depois de haver permanecido durante longos momentos em profunda concentração, cria, com traços rápidos e precisos, uma imagem que, não necessitando de nenhuma correção, serve de modelo aos seus alunos.

Um mestre de arranjos florais começa a aula desatando cuidadosamente a fita que mantém as flores e os ramos unidos e, depois de enrolá-la com esmero, deposita-a de lado. Em seguida, examina cada um dos ramos, escolhe os que lhe parecem melhores, curva-os atentamente, dando-lhes a forma segundo o papel que irão desempenhar no conjunto, e finalmente coloca-os num vaso previamente escolhido. Contemplando o resultado, dir-se-á que o mestre adivinhou os obscuros sonhos da natureza.

Nesses dois casos, aos quais me limito, os mestres se comportam como se estivessem sozinhos. Não dirigem nenhum olhar e nenhuma palavra aos seus alunos.

Compenetrados e serenos, executam as operações preliminares; absorvem-se no ato de plasmar e formar, processo que, desde os primeiros gestos iniciais, até que deem por acabada a obra, parece um gesto único, sem etapas, contido em si mesmo. Com efeito, sua força expressiva é tão grande que impressiona o espectador como se fosse um quadro[11].

Mas por que o mestre não encarrega um discípulo experiente desses trabalhos preparatórios, inevitáveis, porém secundários? Será que diluir a tinta ou desatar tão cuidadosamente a fita em vez de cortá-la contribuem para estimular a sua intuição e criatividade? O que o faz repetir em cada aula essas operações com a mesma e inexorável insistência, sem nenhuma omissão, exigindo que os seus discípulos o imitem? Ele insiste em manter esse ritual tradicional porque sabe que os preparativos têm a virtude de *sintonizá-lo* com a sua criação artística. À serena tranquilidade com que os executa deve o relaxamento decisivo, o equilíbrio de todas as suas energias e a concentração, sem os quais

---

11. Não é por outra razão que a psicologia da Gestalt dá tanta importância ao Zen-budismo e à teoria taoista do *wu-wei* (vontade passiva, vazio pleno!). Os gestalt-terapeutas, a exemplo do "mestre" Frederick Perls, levam seus pacientes a *fecharem a Gestalt*, isto é, a uma visão integrada da sua circunstância, sem a perda dos detalhes, bem como a fertilizarem o vazio (*sunyata*), impedindo que ele cresça e se intrometa na vontade, impedindo que ocorra aquilo que os zen-budistas chamam de obscurecimento da mente. (N. do T.)

nenhuma obra autêntica se realiza. Absorto na sua ação, livre de intenção, é conduzido até o momento em que a obra, atingidas suas formas ideais, completa-se quase que por si mesma. O que são no tiro com arco os passos e os gestos, o são nestes casos os preparativos: a forma é diferente, mas a significação é a mesma. Quando tal procedimento não é possível, como no caso do dançarino religioso ou no do ator, a concentração ocorre antes que apareçam em cena.

Não há dúvida de que nesses exemplos, como no do tiro com arco, trata-se de *cerimônias*. Mais claramente do que o mestre pode explicar com palavras, o discípulo aprende com elas que o mais alto estado espiritual do artista só é alcançado quando se mesclam, num único *continuum*, os preparativos e a criação, o artesanato e a arte, o material e o espiritual, o abstrato e o concreto. E graças a isso ele descobre um novo *enredo* de imitação. Depois, o que se exige é que ele domine perfeitamente todas as técnicas de concentração e meditação, esquecendo-se de si mesmo. A imitação fica mais livre, mais ágil, mais espiritualizada, pois não mais se refere a conteúdos objetivos que qualquer um pode reproduzir apenas com um pouco de boa vontade. O aluno se vê frente a novas possibilidades, mas ao mesmo tempo aprende que sua realização de maneira nenhuma depende da simples boa vontade.

O aluno que tenha todas as possibilidades de progredir encontra-se diante de um perigo que é muito difícil de ser evitado durante seu desenvolvimento. Não se trata de se perder num narcisismo estéril, porque o oriental tem pouca predisposição à egolatria, mas de achar que o que já sabe é suficiente, principalmente se obteve êxito e fama naquilo que fez. Assim, ele corre o risco de se comportar como se a existência artística fosse uma forma de vida nascida e justificada espontaneamente em si mesma. O mestre sabe desse perigo. Cautelosamente, com sutis recursos psicológicos, trata de prevenir a tempo e de liberar o aluno de si mesmo. Faz com que ele perceba, sem insistir, como se se tratasse de algo secundário – e referindo-se à própria experiência do aluno –, que a criação autêntica só é possível num estado de desprendimento de si mesmo, durante o qual o criador não está presente como *ele mesmo*.

Somente o espírito deve estar presente, numa espécie de vigília que prescinde do *eu mesmo* e que pervade todos os espaços, todas as profundezas, *com olhos que ouvem e ouvidos que veem*. Desta maneira, o mestre consegue que o discípulo passe através do próprio ser, tornando-se cada vez mais receptivo. O mestre pode mostrar-lhe algo de que ele tinha ouvido falar muitas vezes, mas cuja *realidade* só agora fica tangível, em virtude das suas próprias experiências.

Não importa que nome o aluno lhe dê, se é que ele lhe dá algum. Em silêncio, ele compreende: o mestre não precisa dizer nada.

Mas com isso se inicia um movimento interior decisivo. O mestre o observa e, sem influir no seu progresso por meio de novos ensinamentos que de nada adiantariam, ajuda-o de maneira mais íntima e secreta. Mediante a fórmula conhecida em certos círculos budistas, "assim como com uma vela acesa se acende outra", o mestre transmite o genuíno espírito da arte, de coração a coração, para que eles se iluminem. Então, se a graça lhe é reservada, o discípulo descobre em si mesmo que a obra interior que ele deve realizar é bem mais importante que as obras exteriores, por mais atraentes que sejam, e que ele deve persegui-la se quiser ser o artífice do seu destino de artista.

A *obra interior* consiste em que o aluno, como homem que é, como o eu que se sente ser e como quem se reencontra uma ou outra vez, se converta na matéria-prima de uma criação, de uma realização formal, que termina no domínio da arte escolhida. Nele se fundem o artista e o homem, no sentido amplo da palavra, em algo superior. O domínio pleno da arte é válido como forma de vida pelo fato de viver arraigado na verdade ilimitada e ser, como sua ajuda, a arte primordial da vida. O mestre já não busca, mas encontra. Como artista, é um sacerdote; como homem, um artista em cujo coração – no seu agir e não agir, criar e silenciar, ser e não ser – penetra o olhar do Buda[12]. O homem, o artista, a obra formam um todo. A arte da obra interior que não se desprende do artista como a exterior, a que ele não pode fazer, mas unicamente ser, surge das profundezas que não conhecem a luz do dia.

Áspero é o caminho do aprendizado. Muitas vezes, a única coisa que mantém o discípulo animado é a fé no mestre, em quem só agora reconhece o domínio absoluto da arte: com sua vida, dá-lhe o exemplo do que seja obra interior, e convence-o apenas com a sua presença. Nessa etapa, a imitação do discípulo atinge a maturidade, conduzindo-o a compartilhar com o mestre o domínio artístico. Até onde o discípulo chegará é coisa que não preocupa o mestre. Ele apenas lhe ensina o caminho, deixando-o percorrê-lo por si mesmo, sem a companhia de ninguém. A fim de que o aluno supere a prova da solidão, o mestre se separa dele, exortando-o cordialmente a prosseguir mais longe do que ele e a se "elevar acima dos ombros do mestre".

Para onde quer que o caminho escondido leve o discípulo, ele pode perder o mestre de vista, mas jamais esquecê-lo. Com uma gratidão disposta a qual-

---

12. Toda a teoria do budismo gira em torno de uma única palavra: *iluminação*. Buda foi Buda porque era Buddha, isto é, o Iluminado. Sermos penetrados pelo olhar do Buda significa que estamos caminhando para a iluminação, para o satori, como dizem os zen-budistas. (N. do T.)

quer sacrifício, gratidão que substitui a veneração incondicional do principiante e a fé salvadora do artista, ele lhe será sempre fiel. Inúmeros exemplos, vindos do mais longínquo passado, demonstram que essa gratidão supera bastante a que é habitual entre as pessoas.

Dia após dia, eu ia penetrando com maior facilidade na interpretação e na prática da **Doutrina Magna** do tiro com arco e a executava sem esforço, como se o estivesse praticando durante um sonho. Confirmavam-se, assim, as palavras do mestre. Contudo, eu não conseguia me concentrar além do momento do disparo. Manter a atenção num máximo de tensão não só me fatigava, ocasionando um relaxamento da própria tensão, como se desvanecia, perdendo sua energia potencial até tornar-se insuportável e, em muitas ocasiões, obrigando-me a *dirigir minha atenção,* provocando eu mesmo o disparo.

"Deixe de pensar no disparo!", exclamava o mestre. "Assim não há como evitar o fracasso!"

"Eu não consigo evitar", repliquei. "A tensão é insuportavelmente dolorosa."

"Isso acontece porque o senhor não está realmente desprendido de si mesmo. Contudo, é tão simples... Uma simples folha de bambu pode ensiná-lo. Com o peso da neve ela vai se inclinando aos poucos, até que de repente a neve escorrega e cai, sem que a folha tenha se movido. Como ela, permaneça na maior tensão até que o disparo *caia*: quando a tensão está no máximo, o tiro tem que *cair*, tem que desprender-se do arqueiro como a neve da folha, antes mesmo que ele tenha pensado nisso."

Apesar de todos os meus esforços de abstenção e de não intervenção, eu continuava a provocar o tiro deliberadamente, sem esperar que ele *caísse*. Esse fracasso continuado me deprimia muito, principalmente porque há três anos que eu me exercitava. Não nego que atravessei momentos penosos, durante os quais me perguntava se sacrificar o tempo daquela maneira – contra tudo o que eu aprendera até então – era justificável. Veio-me à memória a observação jocosa de um compatriota. Ele me perguntou se não haveria no Japão algo mais valioso para fazer do que se dedicar anos a fio a essa arte improdutiva. Na ocasião, eu achei a pergunta absurda, mas estava prestes a mudar de opinião.

O mestre deve ter percebido o que eu sentia e por isso, como me contou mais tarde o professor Komachiya, começou a estudar uma introdução à filosofia para descobrir de que maneira poderia me ajudar, partindo de um ângulo que me fosse mais familiar. Porém, logo a deixou de lado, com mau humor, dizendo que agora compreendia que alguém, preocupado com aquelas coisas, dificilmente assimilaria a arte do tiro com arco.

Naquele ano, passamos as férias de verão à beira-mar, na solidão de uma paisagem tranquila e bela, onde nada nos impedia de sonhar. Nossos arcos eram o que tínhamos de mais importante. Dia após dia, eu me preocupava com a realização do disparo verdadeiro, uma ideia fixa que me fazia esquecer cada vez mais o conselho do mestre, segundo o qual deveríamos praticá-lo única e exclusivamente com um recolhimento liberador. Analisando todas as possibilidades que pudessem explicar meus fracassos, cheguei à conclusão de que eles não se deviam à causa apontada pelo mestre, ou seja, à minha incapacidade de liberar-me de toda intenção e do meu próprio eu, mas porque os dedos da mão direita prendiam o polegar com firmeza excessiva. Quanto mais eu esperava o disparo, tanto mais eu os apertava sem querer, espasmodicamente. Eis o ponto onde devo concentrar meus esforços, pensei. Eu havia encontrado uma solução simples e plausível para o problema. Se, uma vez estirado o arco, eu soltasse cuidadosa e lentamente os dedos que prendiam o polegar, chegaria o momento em que este, libertado, seria arrancado automaticamente da sua posição. O tiro, disparado de maneira fulminante, "cairia como a neve acumulada na folha de bambu". Esse descobrimento me convenceu, sobretudo por sua grande afinidade com a técnica do tiro de fuzil, segundo a qual o indicador dobra-se lentamente, até que uma pressão insignificante vence a última resistência.

Eu me convencera de que estava no caminho certo, porque quase todos os tiros, pelo menos assim parecia, saíam de maneira suave e imprevista. Porém, eu não atentava para o reverso da medalha: para obter êxito, eu dirigia toda a minha atenção para a mão direita. Consolava-me a perspectiva de que essa solução técnica chegaria a ser, pouco a pouco, tão familiar que dispensaria toda atenção. Algum dia, graças a ela, me seria possível soltar o tiro inconscientemente, permanecendo esquecido de mim mesmo, na maior tensão. Assim, também nesse caso, a técnica se espiritualizaria. Cada vez mais confiante nessa descoberta, não dei ouvidos às objeções da minha mulher e senti, por fim, a tranquila sensação de ter dado um decisivo passo à frente.

Ao se iniciarem as aulas, o primeiro tiro já me pareceu excelente. Desprendeu-se suave e sem esforço. O mestre me olhou por um momento e, hesitante, como quem não crê no que está vendo, ordenou: "Mais uma vez, por favor!" O segundo tiro me pareceu superar o primeiro. Então, sem dizer uma única palavra, o mestre se aproximou, tomou o arco das minhas mãos e, dando-me as costas, sentou-se numa almofada. Compreendi o que isso significava e retirei-me.

No dia seguinte, o mestre, por intermédio do professor Komachiya, avisava-me de que se recusava a continuar com suas lições porque eu o havia enganado. Entristecido por essa interpretação do mestre, expliquei ao seu mensageiro como me havia ocorrido aquela maneira de disparar, uma vez que eu não conseguia avançar um passo, apesar dos meus esforços. Graças à sua intervenção, o mestre reconsiderou sua atitude, mas com a condição expressa de que eu prometesse jamais violar o espírito da *Doutrina Magna*.

Não bastasse meu profundo sentimento de vergonha, o comportamento do mestre fez com que ele aumentasse. Nem mencionou o incidente, simplesmente disse: "O senhor sabe o que acontece se somos incapazes de permanecer livres de intenção, no estado de máxima tensão. O senhor não pode continuar o aprendizado se não se perguntar uma ou outra vez: 'Eu o conseguirei?' Espere pacientemente o que vier e como vier!" Lembrei-lhe que estava no curso havia quatro anos e que minha estada no Japão não era ilimitada, ao que ele respondeu:

"O caminho até a meta é incomensurável. Para ele nada significam semanas, meses, anos."

"Mas e se eu tiver que interromper meu aprendizado na metade do caminho?"

"Pode fazê-lo a qualquer momento, desde que se tenha desprendido realmente do seu eu. Por isso, continue praticando!"

E, assim, voltamos a começar desde o princípio, como se todo o aprendizado tivesse sido inútil. Continuava impossível para mim permanecer sem intenção dentro, como se fosse possível escapar de um caminho por demais viciado, até que um dia perguntei ao mestre:

"Como o disparo pode ocorrer, se não for eu que o fizer acontecer?"

"*Algo* dispara", respondeu-me.

"Já ouvi essa resposta outras vezes. Modifico, pois, a pergunta: como posso esperar pelo disparo, esquecido de mim mesmo, se *eu* não posso estar presente?"

"*Algo* permanece na tensão máxima."

"E o que é esse *algo*?"

"Quando o senhor souber a resposta, não precisará mais de mim. E se eu lhe der alguma pista, poupando-o da experiência pessoal, serei o pior dos mestres, merecendo ser dispensado. Por isso, não falemos mais! Pratiquemos!"

Passaram-se muitas semanas sem que eu tivesse avançado um passo, mas isso em nada me afetava. O longo aprendizado tinha me tornado indiferente. Aprender a arte, descobrir o que o mestre quis dizer com o seu *algo*, encontrar o acesso ao Zen, tudo isso me pareceu de repente tão longínquo, tão indiferente, que já não me preocupava. Em várias ocasiões, propus-me confessá-lo ao mestre, mas diante dele a coragem desaparecia. Estava convencido de que escutaria outra vez a sua resposta tranquila: "Não pergunte, pratique!" Então, deixei de fazer perguntas e, por pouco, também de praticar, se o mestre não me tivesse mantido seguro nas suas mãos. Indiferente, eu deixava os dias passarem, cumprindo da melhor maneira possível minhas obrigações profissionais, já não me afastando a constatação de indiferença que eu tinha diante daquilo a que, durante anos, eu dedicara meus mais persistentes esforços.

Certo dia, depois de um tiro executado por mim, o mestre fez uma profunda reverência e deu a aula por terminada. Diante do meu olhar perplexo, exclamou: "*Algo* acaba de atirar."[13] E, ao compreender o que ele

---

13. O Zen-budismo assimilou, à sua maneira, o conceito taoísta do *wu-wei* (ver pág. 63), presente nesse enigmático conceito de algo, que os mestres aceitam como dogma e que lembra as palavras de Cristo: "Não

queria dizer, fui tomado por uma incontida explosão de alegria.

"Minhas palavras", advertiu-me o mestre, "não são de elogio, mas uma simples constatação que não deve alterá-lo. A minha reverência não foi dirigida ao senhor. O mérito desse tiro não lhe pertence, pois o senhor permanecia esquecido de si mesmo e de toda intenção, no estado de tensão máxima: o disparo *caiu*, tal qual uma fruta madura. Agora, continue praticando, como se nada tivesse acontecido."

Transcorreu muito tempo até que eu conseguisse alguns poucos tiros perfeitos, que o mestre saudava, sem dizer uma única palavra, com profunda reverência. Como era possível que se produzissem sem minha intervenção, por si mesmos? Como era possível que minha mão direita, firmemente fechada, se abrisse sem que eu soubesse e ainda não saiba explicar? A verdade é que era dessa forma que as coisas ocorriam, e isso é o que importa.

Com o passar do tempo, eu mesmo conseguia distinguir os tiros frustrados dos tiros bem-sucedidos. A diferença qualitativa entre eles é tão grande que, uma vez sentida, não mais passará despercebida.

---

sou eu que faço as obras, é o Pai que as faz; eu, de mim, nada posso fazer." (N. do T.)

Para o observador, o tiro bem-sucedido se dá quando o rebote da mão direita se amortece a tempo, sem sacudir o corpo. Por outro lado, depois dos tiros frustrados, a respiração até então retida sai de maneira explosiva, havendo necessidade de inspirar imediatamente. Ao contrário, quando o tiro é feito com êxito, a respiração, que estava presa, sai com suavidade, voltando-se a inspirar pausadamente. O coração continua a bater num ritmo uniforme e tranquilo e a concentração, por não ter sido perturbada, permite iniciar de imediato o segundo disparo.

O resultado interior dos tiros executados com perfeição causam a sensação de que o dia acaba de nascer. Depois deles, o arqueiro se sente apto a praticar toda espécie de ação perfeita ou a mergulhar no mais puro ócio. É um estado extraordinariamente delicioso. "Mas", adverte o mestre, "quem o experimenta, melhor fará se ignorá-lo. Somente uma firme serenidade é capaz de fazer com que ele volte sempre."

Certo dia, ao anunciar que iríamos passar para a prática de novos exercícios, disse-nos o mestre: "Parece-me que a parte mais difícil terminou. A quem deve caminhar cem milhas, recomendamos que considere noventa como sendo a metade. Trataremos, agora, de praticar o tiro ao alvo." Até então, o alvo (que também servia para guardar as flechas) era um disco de palha prensada e apoiado num cavalete de madeira, distante do arqueiro o equivalente ao comprimento de duas flechas. O novo alvo, porém, estava colocado a uma distância de sessenta metros, apoiado numa espécie de colina de areia com uma larga base, cercado por três paredes e protegido, como a galeria onde fica o arqueiro, por uma cobertura de telhas harmoniosamente encurvada. Ambas as galerias (onde permanecem o arqueiro e o alvo) são unidas por altos tabiques que ocultam do exterior a cena onde acontecem coisas tão misteriosas.

O mestre nos demonstrou o tiro no novo alvo: suas duas flechas se cravaram bem no centro. Em seguida, convidou-nos a executar a cerimônia como sempre o fazíamos, sem, porém, nos deixarmos influir pela presença do alvo. Deveríamos permanecer no estado de máxima tensão até que o disparo *caísse*. Nossas delgadas flechas de bambu partiam na direção do alvo, mas não atingiam sequer o banco de areia, fincando-se no chão alguns metros adiante.

"Suas flechas não atingem o alvo", observou o mestre, "porque espiritualmente não percorrem grandes distâncias. Comportem-se como se o alvo estivesse a uma distância infinita. Para nós, mestres arqueiros, é um fato conhecido e comprovado pela experiência cotidiana que um bom arqueiro, com um arco de potência média, é capaz de um tiro mais longo do que um outro, empunhando um arco mais potente, mas carente de espiritualidade. Logo, o tiro não depende do arco, mas da *presença de espírito*, da vivacidade e da atenção com que é manejado. Mas, para desencadear uma maior tensão nessa vigília espiritual, os senhores devem executar a cerimônia de maneira diferente da que vem sendo feita até agora, mais ou menos como dança um verdadeiro dançarino. Assim o fazendo, os movimentos dos seus membros partirão daquele centro do qual surge a verdadeira respiração. Então, a cerimônia, ao invés de desenvolver-se como uma coisa aprendida de cor, parecerá criada segundo a inspiração do momento, de tal maneira que dança e dançarino sejam uma única e mesma coisa. Se os senhores se entregarem à cerimônia como se se tratasse de uma dança ritual, sua lucidez espiritual atingirá o ponto máximo."

Ignoro até que ponto fui capaz de *dançar a cerimônia* e de transmitir-lhe alguma coisa da minha vida interior. Meus tiros, porém, já não eram tão curtos, apesar de não atingirem o alvo. Foi isso que me fez perguntar ao mestre por que não nos havia ensinado como mirar. Deveria existir, eu supunha, uma relação entre o alvo e a ponta da flecha e, por conseguinte, uma maneira de dirigir a pontaria para atingir o alvo com maior facilidade.

"Naturalmente que existe", afirmou o mestre, "e não lhe será difícil descobrir por si mesmo. Porém, se quase todas as suas flechas atingirem o alvo, o senhor não será outra coisa além de um artista que se exibe ao público. Para o ambicioso, que só se importa com os tiros certeiros, o alvo não é nada mais do que um simples pedaço de papel que ele destrói com suas flechas. Para a *Doutrina Magna* dos arqueiros, esse procedimento é, no mínimo, diabólico. Ela ignora o alvo erguido a uma determinada distância do arqueiro. A única meta que persegue é aquela que de nenhuma maneira se pode alcançar tecnicamente, e essa meta se chama – se é que se lhe pode dar algum nome – *Buda*." E, depois de pronunciar tais palavras como se fossem compreensíveis em si mesmas, o mestre nos pediu para observar atentamente os seus olhos enquanto ele atirava. Semicerrados, como permaneciam durante as cerimônias que ele dirigia, nos davam a impressão de que a nada miravam. Nós permanecemos observando docilmente *algo* atirar sem apontar.

Passei a não me preocupar com o destino das minhas flechas. Nem sequer me alegrava com um ou outro acerto ocasional, porque sabia que se deviam ao puro acaso. Passado algum tempo, porém, já não suportava esses acertos ocasionais, obtidos de maneira indesejável, e pus-me a refletir uma vez mais sobre o que estava acontecendo. O mestre fez de conta que não percebia o que se passava comigo, até o dia em que lhe confessei que me sentia desorientado.

"O senhor se atormenta em vão", disse-me ele para me acalmar. "Eleve o espírito para além da preocupação de atingir o alvo. Mesmo que nenhuma flecha o alcance, o senhor pode tornar-se um mestre arqueiro. Os impactos no alvo nada mais são do que confirmação e provas exteriores da sua não intenção, do seu autodespojamento, da sua absorção em si mesmo ou de qualquer nome que lhe dê. O aperfeiçoamento supremo tem os seus próprios níveis e só quem atingiu o último jamais errará o alvo exterior."

"É precisamente isso o que não entendo", repliquei. "Creio que sei o que o senhor quer dizer quando fala na meta verdadeira, íntima, que devemos atingir. Entretanto, como é possível que a meta exterior, o alvo de papel, seja atingida sem que o arqueiro tenha feito pontaria, de maneira que os acertos confirmem exteriormente o que se passa no interior? Confesso que essa correlação me é incompreensível."

Depois de um longo momento de reflexão, o mestre me respondeu:

"O senhor está enganado se pensa que pode tirar algum proveito da compreensão de tão obscuras conexões, inalcançáveis para o intelecto. Lembre-se de que na natureza ocorrem coincidências incompreensíveis, e não obstante tão comuns que nos acostumamos a elas. Vou dar-lhe um exemplo sobre o qual refleti muitas vezes: a aranha *dança* sua rede sem *pensar* nas moscas que se prenderão nela. A mosca, dançando despreocupadamente num raio de sol, se enreda sem saber o que a esperava. Mas tanto na aranha, como na mosca, *algo* dança, e nela o exterior e o interior são a mesma coisa. Confesso que me sinto incapaz de explicar melhor, mas é dessa maneira que o arqueiro atinge o alvo, sem mirá-lo exteriormente."

Apesar das reflexões que despertaram em mim essa parábola – apesar de não conseguir penetrar-lhe a essência –, alguma coisa em mim impedia que eu continuasse praticando com o espírito tranquilo. À medida que se passavam as semanas, uma objeção se tornava cada dia mais forte, até que eu não pude evitar de colocá-la para o mestre:

"Não é possível ocorrer que o senhor, depois de dezenas de anos de prática, maneje o arco de uma maneira intencional, mas com a segurança de um sonâmbulo, de tal maneira que o senhor tenha-se tornado incapaz de errar, mesmo que não tenha apontado *conscientemente* para o alvo?"

Acostumado às minhas cansativas perguntas, o mestre balançou a cabeça depois de um silêncio meditativo:

"Não vou negar que possa estar fazendo algo parecido com o que o senhor sugere. Coloco-me à frente do alvo, logo *tenho* que vê-lo, embora não me fixe nele intencionalmente. Por outro lado, sei que vê-lo não é suficiente, que isso nada decide ou explica, pois eu o vejo como se não o estivesse vendo."

Foi então que me escapou a seguinte observação:

"Se é assim, nada impede que o senhor acerte o alvo com os olhos vendados."

O mestre me dirigiu um olhar que me fez sentir que eu o tivesse ofendido, e em seguida me disse: "Eu o espero à noite."

Sentei-me numa almofada, diante do mestre que, em silêncio, me ofereceu chá. Permanecemos assim durante longos momentos. O único ruído que se ouvia era o do vapor da água fervendo na chaleira. Por fim, o mestre se levantou e fez sinal para que eu o acompanhasse. O local dos exercícios estava feericamente iluminado. O mestre me pediu para fixar uma haste de incenso, longa e delgada como uma agulha de tricotar, na areia diante do alvo. Porém, o local onde ele se encontrava não estava iluminado pelas lâmpadas elétricas, mas pela pálida incandescência da vela delgada, que lhe mostrava apenas os contornos. O mestre *dançou* a cerimônia. Sua primeira flecha partiu da intensa claridade em direção da noite profunda. Pelo ruído do impacto, percebi que atingira o alvo, o que também ocorreu com o segundo tiro. Quando acendi a lâmpada que iluminava o alvo constatei, estupefato, que não só a primeira flecha acertara o centro do alvo, como a segunda também o havia atingido, tão rente à primeira, que lhe cortara um pedaço, no sentido do comprimento. Não me atrevi a retirá-las do alvo. Levei-as, juntamente com ele, à presença do mestre, que depois de olhar o conjunto com atenção me disse:

"Talvez o senhor diga que o primeiro tiro não constituiu nenhuma façanha, pois há muitas décadas estou familiarizado com minha galeria de tiro que mesmo na maior escuridão eu saiba onde se encontra o alvo. Acredite nisso se quiser, eu me abstenho de qualquer apologia. Mas o que me diz do segundo tiro que partiu em duas a primeira flecha? Em todo caso, sei que o mérito desse tiro não me pertence: *algo* atirou e *algo* acertou. Incline-mo-nos diante da nossa meta, como se estivéssemos diante do Buda."

Não é difícil imaginar o impacto que as flechas do mestre causaram em mim. Como se eu tivesse passado por uma transformação profunda, já não me preocupava com minhas flechas e o seu destino. Além disso, o mestre reforçava essa minha atitude não olhando jamais para o alvo, mas observando apenas o arqueiro, como se isso lhe permitisse comprovar de maneira mais precisa o resultado do tiro. Perguntado a respeito, admitiu-o sem reserva, enquanto eu comprovava que a precisão do seu julgamento dos tiros não era inferior à segurança das suas flechas. Concentrado intensamente em si mesmo, ele comunicava aos alunos o espírito da sua arte. Em nome da mais profunda experiência pessoal, da qual eu sempre desconfiara, não hesito em afirmar que a comunicação direta de que tanto se fala não é uma fantasia, mas um fenômeno de palpável realidade.

Naquela mesma ocasião, o mestre contribuiu para nosso aprendizado, mostrando-nos como era possível dar-se a transferência imediata do espírito. Quando meus sucessivos tiros fracassavam, ele me pedia o arco e dava alguns tiros com ele. Devolvido a mim, o desempenho do arco passava a ser surpreendente: era como se se deixasse estirar de outra maneira, ficava mais dócil, mais "compreensivo". Seus discípulos mais velhos, homens das mais diferentes profissões, se surpreendiam quando eu punha em dúvida aquele fato, já estabelecido como verdadeiro, como se eu quisesse me livrar de qualquer dúvida, que para eles não existia.

Da mesma maneira que os mestres arqueiros, os mestres da espada mostram-se imperturbáveis diante de qualquer objeção à sua convicção de que toda espada, forjada com um árduo esforço, assimila o espírito do espadachim. Por essa razão é que ele a forja vestido com ornamentos rituais. Suas experiências são por demais inequívocas, e eles, enriquecidos por experiências humanas, são capazes de ouvir *a voz* da espada.

Certo dia, no momento em que o tiro partiu, o mestre exclamou: "Aí está! Incline-se!" Em seguida, como eu não podia, infelizmente, deixar de olhar para o alvo, constatei que a flecha apenas lhe roçara a borda. "Esse foi um tiro verdadeiro", afirmou o mestre, "e é assim que se deve começar. Mas por hoje basta, porque, se continuamos, o senhor se esmeraria demais no segundo tiro, pondo a perder esse bom começo."

Dentre os inúmeros tiros que eu dava, muitos fracassavam, mas alguns atingiam o alvo. Se eu desse o menor sinal de orgulho, o mestre me repreendia com inusitada rudeza: "O que se passa com o senhor? Já sabe que não se deve envergonhar pelos tiros errados. Da mesma maneira, não deve felicitar-se pelos que se realizam plenamente. O senhor precisa libertar-se desse flutuar entre o prazer e o desprazer. Precisa aprender a sobrepor-se a ele com uma descontraída imparcialidade, alegrando-se como se outra pessoa tivesse feito aqueles disparos. Isso também tem que ser praticado incansavelmente, pois o senhor não imagina a importância que tem."

Durante aquele período, cursei a escola mais dura da minha vida, e se ainda me era difícil adaptar-me, compreendia, com o passar do tempo, o quanto devia ao mestre. Suas lições aniquilaram em mim os últimos vestígios da necessidade de ocupar-me comigo mesmo e com as flutuações do meu estado de espírito.

"Compreende agora", perguntou-me o mestre certo dia, depois de eu haver dado um tiro especialmente feliz, "o que quer dizer *algo* dispara, *algo* acerta?"

"Temo", respondi-lhe, "que já não compreendo nada. Até o mais simples me parece o mais confuso. Sou eu quem estira o arco ou é o arco que me leva ao estado de máxima tensão? Sou eu quem acerta no alvo ou é o alvo que acerta em mim? O *algo* é espiritual, visto com os olhos do corpo, ou é corporal, visto com os do espírito? São as duas coisas ao mesmo tempo ou nenhuma? Todas essas coisas, o arco, a flecha, o alvo e eu estamos enredados de tal maneira que não consigo separá-las. E até o desejo de fazê-lo desapareceu. Porque, quando seguro o arco e disparo, tudo fica tão claro, tão unívoco, tão ridiculamente simples..."

"Nesse exato momento", interrompeu-me o mestre, "a corda do arco acaba de atravessá-lo por inteiro."

Mais de cinco anos haviam transcorrido desde o início do curso, quando o mestre propôs que nos submetêssemos a um exame público. "Não se trata", disse ele, "de uma simples exibição de destreza, mas de um valor mais sublime: o estado espiritual do arqueiro, que se deve expressar nos melhores gestos. Eu espero que os senhores não se deixem influir pela presença dos espectadores, mas que se entreguem à cerimônia com a mesma preocupação de quando estão sós, como até agora."

Durante as semanas seguintes, não nos dedicamos a nenhum preparo visando os exames, nem falamos mais neles. Muitas vezes, depois de uns poucos disparos, o mestre suspendia a aula, pedindo-nos que executássemos nas nossas casas a cerimônia, com todos os seus detalhes: passos, gestos, respiração correta e profunda meditação.

Praticamos todos os exercícios prescritos, e tão logo nos acostumamos a dançar a cerimônia sem arco e sem flecha, descobrimos que, depois de dar alguns passos, nos sentíamos concentrados, o que ocorria mesmo sem que nos detivéssemos num relaxamento corporal, de modo a facilitar a concentração. Quando, durante as aulas, voltávamos a praticar com o arco e a flecha, os exercícios domésticos surtiam um efeito tão duradouro que, com facilidade cada vez maior, mergulhávamos no estado da *presença de espírito*. Sentíamo-nos tão seguros que aguardávamos, sem a menor preocupação, o dia dos exames e a presença dos espectadores.

Nosso desempenho durante os exames foi tão bom que o mestre não precisou solicitar, com um sorriso complacente, a indulgência do público. Recebemos diplomas que foram redigidos no ato e nos quais se indicava o grau de capacidade que cada um havia alcançado. O mestre, engalanado com a sua mais suntuosa roupagem, encerrou a prova com dois tiros magistrais.

Alguns dias mais tarde, minha mulher recebeu, também num exame público, o título de mestra em arranjos florais.

A partir de então, o aprendizado tomou um novo rumo. Contentando-se com alguns poucos tiros à guisa de exercícios, o mestre começou a expor de forma sistemática a **Doutrina Magna** do tiro com arco, adaptando-a aos níveis que havíamos alcançado. Embora se expressasse por meio de misteriosas imagens e obscuras metáforas, as mais sutis insinuações eram suficientes para fazer-nos compreender do que se tratava. Explanava, de maneira mais simples possível, sobre a essência da *arte sem arte* à qual tem que chegar o tiro com arco perfeito: "Quem for capaz de atirar com a escama da lebre e com o pelo da tartaruga, ou seja, de atingir o centro do arco (escama) sem flecha (pelo), será mestre no sentido mais elevado da palavra, mestre da *arte sem arte*. Ele mesmo é essa arte, como é mestre e não mestre. Sob este ângulo, o tiro com arco

– movimento imóvel, dança sem dança – se converte em Zen."

E quando um dia perguntei ao mestre como poderíamos prosseguir com os nossos exercícios sem a sua presença, pois logo regressaríamos ao nosso país, ele respondeu: "Sua pergunta já foi respondida quando lhes pedi que se submetessem a um exame. Vocês chegaram a um nível onde mestre e discípulo não são dois, mas um. A qualquer momento podem separar-se de mim. Ainda que estejamos separados por vastos oceanos, sempre estarei presente quando se exercitarem de maneira correta. Creio que não preciso pedir-lhes que sob nenhum pretexto deixem de praticar com regularidade, nem que deixem passar um único dia sem executar a cerimônia, mesmo sem o arco e a flecha, nem que respirem de acordo com as regras aprendidas. Não preciso pedir-lhes porque sei que jamais poderão abandonar o tiro com arco espiritual[14]. Jamais me escrevam a respeito, mas mandem-me de vez em quando uma fotografia que mostre como vocês estão estirando o arco. Será o suficiente para que eu saiba tudo o que eu quiser saber. Mas devo advertir-lhes de uma coisa: ao longo desses anos, vocês dois sofreram

---

14. O que o mestre quer dizer é que a meditação se incorpora de tal forma em seus discípulos que eles e ela se transformaram numa única coisa, inseparável e indissolúvel.

uma modificação profunda[15]. Essa é a consequência do tiro com arco: uma luta do arqueiro contra si mesmo, que lhe penetra nas últimas profundidades. Talvez ainda não se tenham dado conta do que estou lhes dizendo, mas sem dúvida concordarão comigo quando se reencontrarem com seus amigos. Não haverá a mesma vibração em uníssono de antes, pois vocês passaram a ver as coisas de maneira diferente e a medi-las com parâmetros até então não utilizados. O que estou lhes dizendo aconteceu a mim e a todos os que são tocados pelo espírito dessa arte."

À guisa de uma despedida que ainda iria ocorrer, o mestre me presenteou com o melhor dos seus arcos:

"Quando o senhor atirar com este arco, sentirá que estou presente. Que jamais seja tocado pela mão de um curioso! E quando ele tiver sido superado, isto é, quando já não lhe puder dar o que espera dele, não o guarde como recordação. Destrua-o para que nada reste dele, a não ser um punhado de cinzas."

---

15. O mestre se dirige ao autor e à sua mulher. Não nos esqueçamos de que ela também fizera o curso, apesar de Herrigel não se referir ao seu aprendizado, talvez por achar que estaria cometendo uma profanação se abordasse "de fora" a experiência da mulher ou de quem quer que fosse. (N. do T.)

Apesar de tudo o que escrevi até agora, temo que em muitos leitores perdure a suspeita de que o tiro com arco, a partir do momento em que não foi mais utilizado nas batalhas homem a homem, haja sobrevivido graças a uma espiritualidade afetada, pouco saudável. Não posso criticá-los por pensarem assim.

A persistência dessa suspeita me obriga, uma vez mais, a lembrar que a influência radical do Zen nas artes japonesas – e, por conseguinte, no tiro com arco – é fato há muitos séculos. Uma coisa, porém, é certa: um mestre arqueiro de épocas remotas, que experimentasse um número incontável de êxitos, não seria capaz de dizer nada diferente acerca da sua arte do que diz um mestre contemporâneo que serve de morada para a *Doutrina Magna*.

Através dos séculos, o espírito dessa arte permaneceu imutável, tal como o Zen. Contudo, para dissipar qualquer dúvida – o que é compreensível, como sei por experiência própria –, lancemos um olhar para outra arte, cuja importância para o combate ainda hoje não se pode negar: a arte da espada. Ela nos permitirá estabelecer uma oportuna comparação. Primeiramente porque o mestre Awa também sabia manejar a espada *espiritualmente*, mostrando muitas vezes a estimulante coincidência entre as experiências dos mestres do arco e da espada. E também porque existem documentos literários de primeira ordem narrando a época em que a cavalaria estava no seu apogeu e em que os espadachins tinham que ser capazes de demonstrar sua habilidade de maneira irrefutável, pois dela dependiam a vida ou a morte.

O tratado de Takuan, grande mestre do Zen, intitulado *A impassível compreensão*, expõe detalhadamente a relação entre o Zen e a arte da espada, e, por extensão, com a arte da esgrima. Ignoro se esse é o único documento que interpreta de maneira tão ampla e original a **Doutrina Magna** da arte da espada, como não sei se existem depoimentos semelhantes a respeito da arte do tiro com arco. Mas uma coisa é certa: foi uma grande sorte que o relato de Takuan não se tenha perdido e que o dr. Suzuki tenha traduzido essa carta dirigida a um célebre mestre espadachim, colocando-a ao alcance de um vasto círculo de leitores[16].

---

16. Herrigel se refere ao livro de Suzuki intitulado *Zen Buddhism and its Influence on Japanese Culture*, publicado pela Eastern Buddhist Society de Quioto, em 1938 e traduzido para o alemão com o título de *Zen un die Kultur Japans*. (N. do T.)

Ordenando e resumindo o conteúdo desse tratado, tentarei destacar, com minhas próprias palavras e da maneira mais clara e concisa possível, aquilo que há séculos se entende por arte da espada e o que, segundo a opinião unânime dos grandes mestres, se deve entender ainda hoje.

Em virtude de experiências instrutivas, experimentadas tanto por eles como pelos seus discípulos, os mestres da espada observam que sejam quais forem sua força, sua constituição e espírito combativo, sua coragem e intrepidez, o principiante perde, logo no início do aprendizado, toda a confiança em si mesmo e a sua despreocupada naturalidade. Porém, tão logo toma consciência do perigo que sua vida corre durante os combates, mostra-se capaz de concentrar sua atenção ao máximo, de vigiar o adversário atentamente, de aparar suas estocadas de acordo com as regras, de efetuar assaltos corretos. E no entanto encontra-se numa situação pior do que a anterior, quando golpeava à direita e à esquerda, sem nenhum método, ora a sério, ora brincando, segundo a inspiração do momento e o ardor bélico durante os exercícios.

O espadachim é obrigado, então, a admitir e a se resignar com o fato de que se encontra em condições de inferioridade diante de qualquer outro que seja mais forte, ágil e experimentado, e que estará impiedosamente exposto aos seus golpes certeiros. Para ele, não existe outro caminho que não seja o do exercício incansável, e mesmo o seu mestre não pode lhe aconselhar outra coisa. Assim, o aprendiz se esforça ao máximo para superar seus companheiros e até a si mesmo. Adquire uma fascinante técnica que lhe devolve parte da segurança perdida, e sente-se cada vez mais próximo da tão sonhada meta. O mestre, porém, não pensa o mesmo, e com toda razão Takuan nos adverte que a destreza do aprendiz pode apenas levar a que "seu coração seja arrebatado pela espada".

Por serem as mais apropriadas para o principiante, as primeiras lições não podem ser ministradas de outra maneira, embora o mestre saiba muito bem que elas não conduzem à meta final. É inevitável que o aprendiz, desde que se dedique com afinco e possua uma habilidade inata, se transforme em mestre. Mas por que razão aquele que há muito tempo aprendeu a não se arrebatar durante o ardor da luta, mantendo o sangue-frio e conservando suas forças, preparado que está para um combate de longa duração – e que por isso encontra poucos adversários à altura – pode, durante uma luta, se distrair e ficar paralisado?

Segundo Takuan, isso se deve ao fato de que ele observou o adversário com inquietação, permanecendo atento à sua maneira de manejar a espada, enquanto reflete sobre qual será o melhor modo e o momento mais indicado de atacá-lo. Durante a luta, recorre, enfim, a toda a sua arte e ciência. Assim procedendo, diz Takuan, perde a "presença do coração", e o habitual e decisivo golpe chega tarde, impedindo-o de fazer com que a espada do adversário "volte-se contra quem a empunha". Quanto mais ele fizer para que a superioridade da sua luta dependa da reflexão, da sua experiência e da tática, mais obstáculos ele criará para a livre mobilidade do "agir do coração".

Como é possível corrigir isso? Como se pode *espiritualizar* a habilidade? Como se converter o domínio soberano da técnica na arte magistral da espada? A resposta é: o discípulo só progredirá se se desprender de toda intenção e do seu próprio eu. Ele tem que atingir um estágio no qual se desprenda não só do adversário, mas de si mesmo. E tem que superar a etapa em que se encontra, deixando-a para trás, sob o risco de fracassar irreversivelmente. Isso não parece tão absurdo como a exigência, no tiro com arco, de se atingir o alvo sem fazer pontaria, ou seja, de se esquecer completamente da meta e da intenção de atingi-la?

Não nos esqueçamos de que a arte do espadachim, cuja essência é descrita por Takuan, provou sua eficácia na realidade de incontáveis combates. O mestre tem a responsabilidade de fazer com que o aluno descubra, não o caminho propriamente dito, mas as vias de acesso a esse caminho, que devem conduzir à meta última. Sua primeira providência será ensinar o discípulo a receber os golpes inesperados, despertando, para isso, os seus reflexos. Numa história deliciosa, D. T. Suzuki descreve o método extremamente original adotado por um mestre para cumprir uma tarefa tão difícil. O aprendiz tem que adquirir um novo sentido, ou melhor, uma nova presença de todos os seus sentidos que lhe permita se esquivar dos golpes do adversário, como se os pressentisse. Uma vez dominada essa *arte de se esquivar*, não mais terá necessidade de acompanhar atentamente os movimentos de um ou de vários inimigos em conjunto. No momento exato em que vê e pressente o que está por acontecer, já se esquivou dos seus efeitos, sem que haja a "espessura de um cabelo" entre a percepção do perigo e o ato de evitá-lo. É possível que a reação fulminante e imediata possa prescindir de toda observação consciente. Assim, nada impede que o discípulo consiga manter-se independente da intenção consciente, o que lhe será de grande valia.

Muito mais difícil – e realmente decisiva quanto ao resultado – é a etapa seguinte, que consiste em impedir que o aprendiz "reflita" sobre a melhor maneira de atacar o adversário, pois ele não deve nem pensar que o adversário existe e que se trata de uma questão de vida e morte. Não é difícil que o discípulo siga essas instruções, convencido de que para ter sucesso lhe bastará privar-se de observar o adversário e de refletir sobre tudo o que se relacionar com o seu comportamento. Propõe-se seriamente a se controlar, mas, assim fazendo, escapa-lhe o fato de que, concentrando-se em si mesmo, *não pode ver-se senão como o lutador que deve abster-se de observar o adversário*. Na realidade, ele continua a observá-lo secretamente, pois dele só se desprendeu na aparência.

O mestre deve recorrer aos mais sutis argumentos, para convencer o discípulo de que ele nada ganha com essa transferência da atenção, devendo aprender a desprender-se de si mesmo tão decisivamente como de seu adversário e mergulhando na "não intenção" de maneira radical. Exatamente como ocorre no tiro com arco, esses exercícios exigem uma grande dose de paciência e resignação diante de frequentes resultados infrutíferos, mas uma vez que sejam bem-sucedidos, desaparecerá o último vestígio da intenção e do empenho.

Nesse estado de desprendimento e de não intencionalidade, surge espontaneamente uma atitude que oferece grande afinidade com a capacidade instintiva de se esquivar, alcançada na etapa anterior. Tal como nela existe uma distância imperceptível entre perceber o perigo e evitá-lo, não existe agora qualquer distância entre o gesto de se esquivar e o de atacar. No momento de evitar o golpe, o combatente já prepara o seu, e antes que o inimigo se dê conta, é atingido por uma estocada certeira e mortífera. Dir-se-á que a espada se maneja a si mesma, e da mesma maneira como se diz no tiro com arco que *algo* faz pontaria e acerta, também nesse caso o *algo* substitui o eu, valendo-se da aptidão e habilidade que o espadachim adquiriu como seu esforço consciente. E, também aqui, esse *algo* designa um poder que não se pode compreender e nem se impor à razão, pois só se revela a quem o haja experimentado.

De acordo com Takuan, a perfeição da arte da espada só é alcançada quando o coração do espadachim não for mais afetado por nenhum pensamento a respeito do "eu" e do "outro", do adversário e da sua espada, da sua própria espada e da sua maneira de usá-la e nem sequer sobre a vida e a morte. Diz Takuan: "Assim, tudo é um vazio: você mesmo, a espada que é brandida e os braços que a manejam. Até a ideia de vazio desaparece. Desse vazio absoluto desabrocha, maravilhosamente, o ato puro."

O que é válido para o tiro com arco e para a esgrima também o é para as demais artes. Para mencionar outro exemplo, lembremo-nos do pintor que trabalha com tinta nanquim. Sua habilidade se revela no momento em que a mão, dominadora incondicional da técnica, executa e torna visível a ideia que naquele exato momento está sendo criada pelo espírito, sem que haja qualquer distanciamento entre a concepção e a realização. A pintura se transforma numa escrita automática[17]. E também nesse caso as instruções para o pintor podem ser simplesmente as seguintes: contemple o bambu durante dez anos, converta-se nele, esqueça-se de tudo e pinte.

O mestre espadachim reencontra a segurança ingênua do principiante, aquela serenidade perdida no início da aprendizagem, mas recuperada e por ele absorvida como um traço dominante da sua personalidade. Porém, ao contrário do aprendiz, é reservado, sereno, modesto, despido de qualquer presunção. Entre o estágio de noviciado e de "mestrado", transcorreram longos e fecundos anos de incansáveis exercícios. Sob a influência do Zen, *a habilidade se espiritualizou* e o praticante dessas artes se transformou, vencendo-se a si mesmo e de si mesmo se libertando por etapas. Desembainha a espada apenas nos momentos inevitáveis, porque ela se converteu na sua alma, evitando, porém, lutar contra um adversário indigno, que se vangloria dos seus músculos, não deixando de receber, por causa disso, um sorriso que o acusa de covardia. Mas

---

17. Os surrealistas franceses adotaram o princípio da *écriture automatique* numa tentativa, até então original no Ocidente, de se desembaraçarem do intelecto e de deixar fluir toda a atividade psíquica sem qualquer bloqueio, exatamente como o pintor que trabalha sob inspiração zen-budista. O curioso é que os dadaístas, que os precederam e influenciaram, pregavam um conceito de vazio que se confundia com o niilismo, e que por isso nada tinha a ver com o Zen. (N. do T.)

também pode acontecer que, movido por um grande respeito pelo adversário, convida-o a uma luta que terminará com a morte deste. Por detrás dessas atitudes estão os sentimentos que caracterizam a ética do samurai[18], esse incomparável *caminho do cavaleiro* conhecido pelo nome de *bushidô*. Mais alto do que a glória, a vitória e a vida, o mestre espadachim coloca a espada da Verdade, que ele conhece e que o julga.

Como o principiante, ele não conhece o medo, mas, ao contrário do discípulo, torna-se cada vez mais completamente indiferente a tudo o que possa amedrontá-lo[19]. Através de longos anos dedicados à meditação ele descobriu que, no fundo, a vida e a morte são uma única coisa, e que ambas pertencem ao mesmo plano do destino. Ele não sente nem a angústia de viver, nem o temor da morte. Apraz-lhe – e isso é característico do espírito Zen – viver no mundo, mas está sempre preparado para abandoná-lo, sem que a ideia da morte o perturbe. Não foi por casualidade que o samurai escolheu a flor de cerejeira como o seu símbolo. Assim como a pétala, refletindo o pálido raio do sol matinal,

---

18. Guerreiros da época do Japão feudal (séculos XVIII e XIX), embora suas origens – ou as do seu *espírito* – remontem ao século IV. (N. do T.)

19. A alegria de viver é um dos mais dos mais venerados princípios do Zen-budismo, pois só através dela seus adeptos sabem que podem vencer o seu inimigo mais forte: o medo. (N. do T.)

se desprende da flor, o homem intrépido se desprende, silenciosa e impassivelmente, da existência.

Viver sem medo da morte não significa que, durante as horas felizes, nos gabemos de não tremer diante dela, nem que possamos afirmar que a enfrentamos com segurança. Porém, quem domina a vida e a morte está livre de todo temor, a tal ponto que não é mais capaz de experimentar a sensação de medo. E quem não conhece, por experiência própria, o poder da meditação séria e prolongada não pode imaginar as vitórias sobre nós mesmos que podemos obter. Seja como for, o mestre verdadeiro revela sua coragem com atitudes, jamais com palavras. Quem o conhece não pode deixar de se impressionar profundamente. São raras as pessoas que conseguem manter uma inabalável impassibilidade, e que só por isso devem ser chamadas de mestres. Para ilustrar o que acabo de dizer, transcreverei na íntegra uma passagem do *Hagakure*, datado de meados do século XVII.

"Yagyu Tajima-no-kami[20] era um grande mestre espadachim e professor do xógum[21] Tokugawa Jyemitsu. Certo dia, um dos seus guardas se aproximou de Tajima-no-kami e pediu-lhe que o aceitasse como

---

20. Foi neste mestre que Takuan se inspirou para escrever o seu tratado intitulado *A impassível compreensão*.
21. Antigo chefe militar do Japão. (N. do T.)

aluno, ao que o mestre respondeu: 'Pelo que vejo, o senhor já é um mestre. Peço-lhe que me diga a que escola pertence, antes que entremos na relação mestre--discípulo'. O guarda observou que se envergonhava de dizer, mas jamais tinha aprendido a arte da esgrima. 'O senhor está zombando de mim? Sou o mestre do venerável xógum e sei que meus olhos jamais se enganam.' O guarda insistiu: 'Lamento ofender a sua honra, mas a verdade é que jamais tive qualquer conhecimento desta arte'. Frente a tão segura negativa, o mestre vacilou um momento, ao final do qual disse: 'Como o senhor afirma, não vou desmenti-lo, mas seguramente o senhor é mestre em alguma outra disciplina, embora eu não saiba qual seja'. Respondeu-lhe o guarda: 'Pois bem, como o senhor insiste, devo dizer-lhe que existe uma coisa na qual me considero mestre. Quando eu era criança, ocorreu-me a ideia de que um samurai não tem o direito de temer a morte em qualquer circunstância, e desde então lutei continuamente com a ideia da morte, até que ela deixou de preocupar-me. Talvez seja a isso que o senhor se refere'. Mal ouvira tais palavras, Tajima-no-kami exclamou: 'Exatamente! Alegro-me que não tenha me enganado, pois o último segredo da arte da espada é atingir a libertação da ideia da morte. Tenho mostrado essa meta a centenas de alunos, mas até agora nenhum alcançou o grau supremo na arte da espada. O senhor não precisa de qualquer treinamento, porque já é um mestre'."

Desde os tempos mais remotos, a sala onde se pratica a arte da espada se denomina *Lugar da Iluminação*. Todo mestre de uma arte influenciada pelo Zen é como um relâmpago gerado pela nuvem da verdade universal. Essa verdade está presente na livre mobilidade do seu espírito e naquilo que se chama de *algo*, onde ela se mostra na sua plenitude e essência originais. Nessa fonte que jamais seca, suas potencialidades adormecidas se nutrem de uma compreensão da Verdade que, para ele e para os outros através dele, se renova perpetuamente.

Porém, pode ocorrer que a suprema liberdade não se converta numa necessidade imperiosa para o mestre. Apesar de haver se submetido pacientemente a uma dura disciplina, não alcançou ainda o nível onde estaria imerso na compenetração do Zen, de maneira que, conhecendo apenas horas felizes, sua vida seja guiada por ele. Na hipótese de que essa meta o atraia, tem de voltar a percorrer o caminho da *arte sem arte*. Tem que dar o salto em direção às origens para que viva a Verdade, como quem está intimamente identificado com ela[22]. Tem que voltar a ser aluno, a ser principiante, tem

---

22. O autor se refere ao salto originário (*Ur-sprung*), imagem muito usada pelo filósofo alemão Martin Heidegger, para quem o salto dá origem (*er-springt*) ao próprio fundamento da investigação. (N. do T.)

que vencer o último e o mais escarpado obstáculo do caminho, passando por novas metamorfoses. Se sair vitorioso dessa longa jornada, então seu destino se consumará no encontro com a Verdade inquebrantável, com a Verdade que está por cima de todas as verdades e com a amorfa origem de todas as origens: o Nada que é o Tudo. Que ele o devore e dele receba uma nova vida!